文春文庫

あくじゃれ

瓢六捕物帖

諸田玲子

あくじゃれ◉目次

あくじゃれ——瓢六捕物帖

地獄の目利き

一

耳ざわりな音がする。

瓢六《ひょうろく》は小鼻をひくつかせた。

安価なだけあって、魚油は臭《にお》いも強烈だが、燃える音も騒々しい。これほど劣悪な油にお目にかかることは今どきめったにないのだが、諸事節約の折柄、大番屋の仮牢では、切り詰められるものはとことん切り詰めよ、と命じられているらしい。

とはいえ、灯火が妄想を妨げたわけではなかった。顔をゆがめてくしゃみをすると、瓢六は夢のつづきを追いかけた。

妄想のなかで、お袖《そで》は今しも帯を解こうとしていた。左肩を落とし、肩ごしに流し目をくれる。華奢《きゃしゃ》な指が結び目をまさぐり、じらすように体がゆらぐと、はらりと髪が解け、唇が艶めいた。瓢六は堪えきれず、お袖のくるぶしに手を伸ばす。

抱き寄せ、眸《ひとみ》を覗き込んだところで目をむいた。見返したのは、お袖の目ではない。定廻り同心・篠崎弥左衛門《しのざきやざえもん》の真面目くさった目と、その目に似合いの、およそ面白味のない角張った顔である。

ちっ。じゃましやがって。いいとこだったのによ——。

瓢六は舌打ちをした。ぷいと顔を背ける。

「いいかげん、だんまりはよしにしたらどうだ」

格子の向こうで、弥左衛門は肩を怒らせた。ここ数日、耳に胼胝《たこ》ができるほど聞かされた言葉である。瓢六は判で押したように、へっと首をすくめた。

「こちとらも、旦那とだんまり比べをする気はねえや」

「だったら早いとこしゃべっちまったらどうだ」

「しゃべりてェのは山々だが、身に覚えがねえこたァ、しゃべれねえ」

材木町の仮牢に押し込められてから、三日三晩が経っている。捕吏が賭場《とば》に踏み込んだとき、瓢六は博打《ばくち》に興じていた。まるで高市で売られる古着のごとく、ひと束ねにひっくくられたのである。

博打の刑罰は、捕縛の回数によって異なる。初犯なら叩き放ち、二度目は入れ墨、三度目は入れ墨をさらに加えた上で所払い、再度捕まれば遠島。一緒にお縄になった仲間は、次々に奉行所の白州へ引きだされた。すでにそれ相応の処罰を受けたと聞いている。

瓢六にはまだ沙汰がなかった。

江戸ではここ数年、悪評の高い武家や暴利を貪る商家、いかがわしい寺社などが強請《ゆすり》まがいの嫌がらせに遭う事件が頻発していた。奉行所はここにきてようやく、事件の裏に瓢六の影がちらついていることに気づいた。

捕まってたまるか。てめえらがその気なら、こっちこそ右往左往させてやらあ——。

奉行所の探索に気づき、用心をはじめた矢先の捕縛である。瓢六は我が身の不覚に地団駄を踏んだ。

一方、弥左衛門のほうは、この機会に瓢六の余罪を吐かせようと意気込んでいる。瓢六と弥左衛門、格子を挟んだ攻防は、一朝一夕にはけりがつきそうもない。

瓢六は色白細面《ほそおもて》で役者のような男前だ。体つきはひきしまっている。冴え冴えとした眸にはお上《かみ》を——いや、世間を小馬鹿にしたような色があり、形のよい唇には自嘲めいた笑いがはりついている。そのくせ、どことなく愛嬌があって憎めないのは、くるくる変わる表情のせいか。いかにも女好きのしそうな男である。

「往生際の悪い野郎だ」

弥左衛門が憎々しげにつぶやくと、瓢六はふんと鼻を鳴らした。

「こんなとこで往生できるかってんだ。それよりよ、おれさまをいつまで閉じ込めとくつもりだ」

「菅野《すがの》さまのお許しを得た。だんまりを決め込むつもりなら、入牢証文をもらって大牢に移す」

菅野とは菅野一之助《いちのすけ》、瓢六の下吟味に当たった与力である。与力は同心の上役だ。菅野の許可があれば、奉行所から入牢証文をもらい、小伝馬町の牢屋敷へ押し込めることができる。牢屋敷は判決が下るまで未決囚を収監しておく場所だが、扱いは罪人同然、血も凍る場所として知られていた。

入牢と聞いて、瓢六は青くなった。が、動揺しているところを見せて、弥左衛門を喜ばせてやる気はなかった。

「牢屋敷か。そいつァいいや」強がりをいう。「旦那の顔も見飽きたしよ、悪人どもの面《つら》見るだけでも気が晴れらあ。それにしても旦那、醜男の上に仏頂面ばかりしてたんじゃ女に逃げられるぜ」

弥左衛門は憮然とした。

根が単純なのですぐ逆上する。ことに瓢六の物言いはいちいち神経を逆撫でした。

「余計なお世話だ」

「おっと失礼」瓢六は肩をすくめた。「こっから出してくれたら、とびきりの上玉を紹介してやろうと思ったんだがよ」

瓢六をにらみつけ、弥左衛門は踵《きびす》を返した。

「うそぶいていられるのも今のうちだ」

捨て台詞《ぜりふ》を残して去ってゆく。

後ろ姿に向かって、瓢六はあかんべえをした。舌を引っ込めるのを忘れ、ふっと真顔になる。

牢屋敷か――。

そのあとは百敲《たた》きか。嫌がらせだけで殺しはやっていないから、死罪や遠島といった重刑にはならないだろう。といって、安心するわけにはいかない。果して大牢で生き延びられようか。

ま、なるようにならァな――。

思い悩むのは苦手だ。

両足を壁に投げかけ、剝がれかけた漆喰《しっくい》を蹴落としてうさ晴らしをする。やがてそれにも飽きると目を閉じ、妄想のつづきに戻った。

二

「だ、旦那。横川の川原で女が死んでおりやす」

番太郎の三五郎が駆けつけたとき、弥左衛門は役宅でひとり、姉が届けてくれた弁当をかき込んでいた。下戸《げこ》なので酒はない。茶をいれるのが面倒なので、合いの手に白湯《さゆ》を飲んでいる。

弥左衛門は北町奉行所の定廻り同心で、三十一になる。家督相続と同時に妻を娶《めと》ったが、子ができないうちに病死してしまった。目下のところ独り身である。賄い方を務める御家人の家に嫁いだ姉は顔を合わせるたびに再婚を勧めるが、ものぐさの上に堅物の弥左衛門はこの姉が苦手で、何やかやと理由をつけてはいい逃れていた。

縁遠いのは役職のせいもある。定廻りは南北奉行所に各六名。十二名で江戸市中を見廻り、揉め事の処理に当たる。三十俵二人扶持の薄給にしては激務で、二六時中、仕事に追われている。見合いをしている暇はなかった。

定廻り、臨時廻り、隠密廻りの三役は三廻りといって、町奉行所の同心のなかでは花形である。付け届けも多い。うまく立ちまわれば実入りを増やすこともできるのだが、無骨で融通のきかない弥左衛門にその才覚はなかった。世渡りの下手なところも、縁遠い一因かもしれない。

「やれやれ、昼日中から女の死体《おろく》か」

ぶつくさつぶやきながらも、弥左衛門は重箱を脇へ押しやった。

「身元はわかったのか」

三五郎に訊ねる。

三五郎は縁先に腰をかけ、弥左衛門を眺めていた。ちらちらと重箱に目がいくのは、昼飯を食べずに飛びだしてきたからだろう。

「へい。蛤《はまぐり》町の裏店《うらだな》に住むおみちという女でした。歳はたしか二十三、いや、四だったか」

いったところで奇妙な目つきになる。

弥左衛門はしぶしぶ腰を浮かせた。中腰になったところで、おやと首を傾《かし》げる。

「おみち？」

「へい。病身の父親と二人暮らしだそうで。父親ってのはその……以前、お上の御用を務めておりやして。旦那もご存じの……」

三五郎はいいにくそうに口ごもった。

弥左衛門は三五郎の顔を見返した。

「もしや、伊助！」

「へい。実はその伊助なんで……。間違いございやせん」

弥左衛門は血の気がひいてゆくのがわかった。

伊助は弥左衛門から十手を預かっていた。捕り物で怪我《けが》をして足が不自由になり、十手を返したのが五年前。女房を亡くしたと聞いたのは三年前である。そのあと黒江町の家をたたみ、行き先を告げずに引っ越してから音沙汰はない。

湯飲みに蹴つまずき、重箱を踏みつけて、弥左衛門は玄関へ飛びだした。

「おい。急げ」

小者は遣《つか》いに出している。賄い役の婆さんはこの日、孫の家へ出かけていた。

「留守居がいねえようですがよろしいんで？」

庭をまわって玄関口へ駆けて来た三五郎がおろおろと訊ねたときにはもう、弥左衛門は一目散に駆けだしていた。


おみちは、荒縄で首をしめられていた。

現場は木場にほど近い横川の川原。その藪陰に、うずくまるような恰好で倒れていた。必死で逃れようとしたらしい。両手の爪を荒縄に食い込ませ、かっと見開いた双眸に苦悶の相を浮かべている。唇の端から流れ出た血が小袖の胸元を黒く染め上げていた。

「やはり……」

弥左衛門は絶句した。呆然とした顔で骸《むくろ》を見下ろす。ここ数年逢っていないが、嫁ぐ前のおきゃんな娘の姿は、今もまぶたに焼きついていた。

それにしても、なにゆえ、かようなところにおったのか――。

横川の土手は夜鷹の巣窟だ。夕闇とともに色を売る女たちが徘徊する。だが日中は閑散としていた。まともな者は近づかない。たまたま通りすがりの酔っぱらいが転げ落ちた下駄を拾おうとして川原へ下りて来なければ、夕暮れどきになるまで、おみちの骸はその場に置き棄てられていたにちがいない。

「不審な輩《やから》を見かけた奴はいないのか」

弥左衛門は動揺を鎮め、源次《げんじ》に訊ねた。

源次は木場一帯を仕切る岡っ引である。五十がらみの臼《うす》のような体つきの男で、ひと足先に現場へ駆けつけていた。

「手下に聞き込みをさせておりやす」

源次は応え、骸を番所へ運ぶよう番太郎に命じた。

おみちの身元が知れたのも、同業のよしみで、源次が伊助の娘の顔を覚えていたからだった。身元はわかった。が、住まいを見つけるのは手間取った。

「おみちさんが門前町の菓子屋へ嫁いだのは、旦那もご存じでしょう。ですが、とうに離縁してるそうでして、婚家ではいっさいかかわりねえとそればかしで。ついさっき、おみちに仕立物を頼んだことがあるってェ女を捕まえまして、で、蛤町の裏店で、伊助の旦那と暮らしていたことがわかりやした」

弥左衛門は重苦しい息を吐きだした。

「伊助には知らせたのか」

「へい。知らせねえわけにも参りませんので」

「伊助の様子はどうだった？」

「それが……足の怪我だけでなく、心の臓を病んでるそうで。寝たきりのところへ娘の変事だ。近所の衆がついちゃあいるんですが、どうにもその、見る影もねえ有り様でして」

頼りにしていた一人娘に死なれたのである。それも尋常な死に方ではない。伊助の驚愕と悲嘆はいかばかりか。

「気の毒に……。よもや伊助が寝ついておるとは思いもしなかった」

「あっしらだって」

源次も陰鬱な顔で首を振る。

「ところで、おみちはどうしてこんな場所にいたのだ？」

「それについちゃあまだ……」

「裏店の連中は、だれもおみちの行き先を知らなかったのか」

「へい」と、源次はうなずいた。「ですが、同じ裏店に住む松吉という子と一緒だったそうで」

弥左衛門は眉をつり上げた。

「子供が、一緒におったと？」

「松吉は、同じ長屋に住むおたきという女の子供で、四つになったばかしなんで。おたきは毎晩仕事に出かけてゆきます。で、おたきが留守のときは、おみちが松吉の面倒をみてやってたというんですがね……」

「待て。おたきは酌婦か」

「一膳飯屋で女中をしていると、本人はいっておりやす。店の名を訊いてものらりくらり――そのへんはどうも怪しいようで。ま、そっちは今調べさせてる最中でして。ともかく、ここ数日、おたきは風邪をひいて寝込んでまして、それでおみちさんが松吉を連れていたというわけでさ」

「それにしても、子供を遊ばせるにしては妙な場所だ」

弥左衛門はあたりを見まわした。枯れた葦とすすきが寒風にそよぐ川原は、閑散として、大人でさえ、ひとりで歩くのは心細いような場所である。

「へい、あっしらもそこんところが……」

源次は恐縮したように首をすくめた。

「で、子供はどうした？　見つかったのか」

「いえ、そいつがまだ……」

源次は曖昧《あいまい》に応え、川面に目をやる。弥左衛門も、源次の視線を追いかけた。

二人は同じことを考えていた。おみちを殺した下手人が、幼子を川に投げ込まなかったという保証はない。はじめから子供を攫《さら》うのが狙いなら、なにも貧しい裏店の子を選ぶ必要はないのだ。となると、狙いはおみちで、おみちを殺したついでに子供も、と考えるほうがよさそうである。

川面《かわも》を眺めていると、やり場のない怒りがこみ上げた。だれであれ――弥左衛門は歯ぎしりをした。必ず、お縄にしてやる。おみちや伊助が味わったと同じ苦痛を味わわせてやる。忙しさに取りまぎれ、暮らしぶりを思いやる余裕もないまま見捨ててしまった伊助への、それがせめてもの償いだと弥左衛門は思った。

「あっしはこれから伊助を見舞って来ようと思いやす。旦那はどうなさいますんで？」

「おれも一緒に……いや、止めておこう」

下手人を捕らえてからでなければ、伊助に合わせる顔がない。

「二人を見た者がいないか、虱《しらみ》つぶしに探せ。それからおみちか伊助に恨みを抱く人間を探すのだ。おれは奉行所で、伊助がかかわった事件を調べてみる」

「松吉が見つかりました」

翌朝、役宅に、源次の手下が駆け込んで来た。

寝不足でむくんだ弥左衛門の顔が、にわかにひきしまった。

「絞殺か、溺死か」

「いえ。ぴんぴんしておりやす」

弥左衛門は唖然として、下っ引の顔を見返した。

「どこにいたんだ」

「それが、入船町の裏店に住む作次郎《さくじろう》ってェ野郎が、ひと晩面倒をみていましたそうで」

「作次郎？　何者だ、そいつは……」

「定職がなく、日傭取りだの博打だのでおまんまを食ってる、ろくでもない野郎でして。どうもこっちのほうも」

人指し指を鉤《かぎ》のように曲げて見せる。

「なんでそいつが松吉の面倒をみてたんだ」

「野郎の話じゃあ、横川の土手を通りかかったら、松吉が泣いていたってんですがね。身なりが貧しいんでてっきり捨て子だと思った。家へ連れ帰ったが、寝かしつける段になったら、家が恋しいと泣きだした。で、手に余って、隣の女房にやっと寝かしつけてもらったとか。夜が明けたら番所へ連れてゆこうと思っていたと、本人はいいはってい るんですがね、その前に役人に踏み込まれ、ひったてられたってな次第で」

不審に思った大家が、番所へ届けた。松吉は母親のもとへ帰され、作次郎はお縄になった。大番所の仮牢に押し込められているという。

「そやつ、おみちについてはなんといっておるのだ」

「知らぬ存ぜぬの一点張りでして」

取るものも取り敢えず、弥左衛門は大番所へ駆けつけた。

作次郎は二十二、三歳の、見るからに貧弱な若者だった。根っからの悪人というより意志が弱く、克己心が乏しいためにずるずる悪い仲間に引き込まれたらしい。だが窮鼠は猫を嚙む。作次郎には、追い詰められ逆上すれば何をするかわからない危うさがあった。

「女に手をかけた覚えはないのだな」

あらためて訊ねると、作次郎は二度三度うなずいた。

すでに吟味を、それも生半可でない吟味を受けている。顔は腫れ上がり、体中痣《あざ》だらけで、苦しげに肩をあえがせていた。

「なにゆえ昨夜のうちに子供を番所に届けなかったのだ」

「可愛い坊主で……おいらを見ると泣きやんで……くっついて来ましたんで」

女が死んでいたことは、番太郎から知らされるまで知らなかったと、作次郎はくり返した。

「おいらは川原へは下りなかった。骸には気づかなかったんでごぜえます」

半信半疑ではあったが、一方的に嘘だと決めつけるわけにもいかない。逸《はや》るな、慎重に調べよとまわりの者たちにもいい、己の心をも戒めていた弥左衛門だったが——源次が子分を引き連れてあらわれると、事態は一変した。

「作次郎は、伊助の旦那に恨みを抱いていたそうです」

源次は鬼の首を取ったような顔で報告した。

「恨み?」

「そもそも作次郎がああなったのは、たったの一度、仕事仲間に誘われて賭場を覗いたとき運悪くとっつかまったのがはじまりだそうでして。作次郎をお縄にしたのは、伊助の旦那です。初犯だ。作次郎は過ちを悔いている。お目こぼししてやってもよかったんだが、それじゃあ決まりがつかねえと、百敲きの上に入れ墨まで施したそうで」

江戸では、罪人の入れ墨は、右腕の肘にぐるりと一本、入れるのが決まりである。一旦入れられたが最後、前科者の汚名が一生ついてまわる。作次郎のその後の転落ぶりは、入れ墨を入れられ、まともな仕事にありつけなくなったせいだという。

伊助は岡っ引には珍しく、真正直で曲がったことの嫌いな男だった。融通がきかないところがある。だからといって悪事は悪事。作次郎は賭場を覗いた。一度だろうが二度だろうが禁を犯したことに変わりはない。伊助への恨みは逆恨みだ。死病に罹った伊助の娘を誘いだし、あろうことか、虫けらのごとく殺害するとは、断じて許せぬ。

弥左衛門は激怒した。青瓢簞《あおびょうたん》のような作次郎の顔を、めちゃめちゃに踏みつけてやりたかった。

弥左衛門は事件の経緯を、菅野に報告した。菅野は大番所へ出向いて下吟味をした。だが脅されようが痛めつけられようが、作次郎は頑《がん》として、下手人ではないといいはった。

自白がなければ、罪を問えない。

弥左衛門は菅野の許可を得て、入牢証文を入手した。小伝馬町の牢へ作次郎の身柄を預け、さらに吟味を重ねることにした。拷問にかけてでも自白を得て、お白州へ引きだすつもりである。

人殺しとかどわかしの罪は重い。作次郎は間違いなく江戸市中引廻しの上、打ち首、獄門となるはずだった。

伊助の息のあるうちに、なんとしても、仇をとってやらねば――。

弥左衛門は勇み立っていた。

三

三枚重ねの畳の上に寝そべって、瓢六は鼻唄をうたっていた。

小伝馬牢の大牢に押し込められて、三月余りが経っている。あと数日で師走だ。

この間、毎朝のように、町奉行所の同心が見まわりに来た。徒目付《かちめつけ》も日に一度は監視にやって来た。だが瓢六を大牢に押し込めた張本人、弥左衛門は、別件に追われているらしく、めったに顔を出さなかった。弥左衛門からいわれているのか、だれ一人、瓢六には関心を示さない。

ちっ。いつまで待たせやがるんだ――。

いらだちは、むろん、あった。情婦のお袖が恋しくて、耐えがたい夜もある。だが一方で、瓢六はことの成り行きをおもしろがってもいた。牢暮らしも思っていたほど悪くない。

牢屋敷に移されると聞いたときは、さすがに怖じ気づいた。大牢は恐ろしいところだと聞いていたからだ。だがそれは、入牢者が素寒貧《すかんぴん》の場合だった。

地獄の沙汰も金次第。銭をばらまけば、だれも手を出さない。牢名主の地位を買い取ることさえできる。一畳に四、五人、ひどいときには七、八人もの囚人が詰め込まれる大牢でも、銭《ぜに》さえあれば、重ね畳の上にひとりのうのうと横になることができた。

その点は心配なかった。瓢六にはお袖がいる。お袖はかつて大店の主人の妾だった。手切れの際、桁外れの金子《きんす》を手にしている。働かなくても一生暮らせる身分なのに、自前で芸者に出ているのは、根っから芸事が好きなのだろう。

もっともお袖にいわせれば、

「あたしが好きなのは六さん、その次が、おあし」

だそうで、銭儲けが大好きで、その上、気っぷがいい。江戸っ子の鑑《かがみ》のような女だ。

瓢六が大牢へ移されたのは、九月の半ばだった。

「お白州へ引きだされるまで、へばるなよ」

弥左衛門は真顔でいったが、瓢六はへっと笑い、意気揚々と牢へ乗り込んだ。

銭をふんだんにばらまき、牢名主を味方につけた。あっけないほど簡単だった。潤沢な金子に加え、瓢六には、人の心をつかむ愛嬌と並外れた知恵があったからである。

とれたての魚のように活きのいい体。些細なことまで見逃さない目。薄く幅広の唇は、埒《らち》もないことをしゃべっているかと思うと、突然はっとするような真実を紡ぎだして人々を瞠目《どうもく》させる。

強面《こわもて》の囚人どもをあっさり手なずけた瓢六の手腕には、弥左衛門でさえ舌を巻いているようだった。

こやつ、ただの悪党ではなさそうだ。素性を洗ってみよう――。

そう思っていたにちがいない。ところがそこへ、おみちの事件が起こった。瓢六の吟味は後まわしになっている。

入口でざわめきが巻き起こった。

瓢六は鼻唄を中断して身を起こした。人の体というより血まみれの布袋に近かった。拷問蔵から送られて来た囚人は、たいがいこんなものである。高熱を出して死んでしまう者もいる。それでも、病でないだけましだった。病に罹っても、牢医は見て見ぬふりをする。病がはびこるのを恐れて、牢役人は病人の顔にぬれ雑巾をかぶせて殺してしまう。

「隅へ転がしておけ」

牢名主の雷蔵《らいぞう》が囚人どもに命じた。雷蔵は娑婆《しゃば》では力士だったこともあるという毛むくじゃらの大男だ。九枚の畳を重ね、その上に鎮座している。

「へい」と口々に返事をして、囚人どもは新参者のまわりに群がった。新入りの世話係は四番役である。四番役の指図で、数人が手足を持って担ぎ上げようとしたときだった。醜く腫れ上がった顔が見えた。

「作次郎!」

瓢六は思わず叫んだ。

作次郎は博打仲間だ。何度か酒を酌み交わしたことがある。前科者なので、まともな仕事にはありつけない。日傭取りで糊口《ここう》をしのぎ、銭がなくなれば巾着切《きんちゃっきり》や置き引きをする小悪党だが、その反面、作次郎には野良猫や野良犬を見ると拾って来て自分の食い物を分け与えるような、心根のやさしいところがあった。いつだったか、瓢六が作次郎の家を訪ねたとき、そのことで大家にさんざん文句をいわれていた。

――おいらも捨て子だったんでよ……。

ぽつりといって、哀しそうな顔で子猫を捨てに行った姿は記憶に新しい。

自分の名を呼ばれ、作次郎は虚ろな目であたりを見まわした。

瓢六はふっと幼い日の光景を思いだした。山中を歩いていて、罠にかかった兎を見たときのことだ。作次郎の目は、降りかかった災難に戸惑い、脅えきっている獣の目とそっくりだった。

「待て」

囚人どもに声をかけておいて、瓢六は雷蔵に向きなおった。

「名主。おいらが銭を払う。こいつの手当てをしてやってくれ」

雷蔵は、茫々《ぼうぼう》とした眉の下の糸のような目で瓢六を見た。

「よかろう」とうなずくと、囚人どもに命じた。「手当てをしてやんな」

銭の威力は絶大である。作次郎は囚人どもの手で血痕を拭《ぬぐ》われ、袖の下を使って牢役人から入手した薬を傷口に塗りたくられた。真新しい獄衣を着せられ、畳の上に寝かされる。

瓢六は作次郎の枕辺に膝をそろえた。

「作、いったい何をしでかしたんだ」

作次郎は苦しい息を吐きながら、いきさつを説明した。

「兄い。信じてくれ。おいら、なんにもしちゃあいねえ」

「人っ子ひとりいねえ土手で、三つ四つのガキが泣いてたんだ。だれだってそう思うさ」

「ガキを捨て子と勘違いしたってのは、ほんとだな」

「女の骸には気づかなかった……ちげえねえな」

「気づいてたら、かかわり合いになる前に逃げだしてたさ」

嘘ではあるまいと、瓢六は思った。女を殺したのが作次郎なら、裏店に子を連れ帰るのはおかしい。手にあまったからといって、隣家の女房に寝かしつけてもらうはずがない。子供をかどわかしたにしては、あまりに無防備ではないか。

そんな簡単な理屈もわからず、役人どもは作次郎に罪をなすりつけた。なんとまあ、まぬけぞろいかと呆れ返る。

逆さに吊るされて思うさま打ち据えられたあげく、石を抱かされ、自白を強要されたと聞いて、瓢六の肚《はら》は煮えくり返った。

作次郎は友人だ。が、それだけではない。事実をゆがめ、真実を糊塗《こと》する——そのことが許せなかった。

「作、くたばるなよ。おめえにかかった疑いは、おいらが必ず晴らしてやる」

頼もしく請け合ったものの、ここは牢の中。自分はとらわれの身だ。

さて、どうしたものか——。

瓢六は弥左衛門の四角い顔を思い浮かべた。作次郎を牢に放り込んだのは弥左衛門だという。弥左衛門はこの一件に異常な執念を燃やしているらしい。

またもや、あいつか——。

こんなとき、役人面をした堅物ほど始末に悪いものはない。だが他に道がないというなら、がっぷり組みつくしかなさそうだ。

瓢六は頭のなかで、弥左衛門に鼠の扮装をさせてみた。自らは隈《くま》取《ど》りも恐ろしげな荒《あら》獅子《じし》男之助《おとこのすけ》に扮し、鼠こと仁木弾正《にっきだんじょう》の眉間をはっしと打ち据える。歌舞伎「伽羅先代萩《めいぼくせんだいはぎ》」御殿床下の場である。

思わずにやつき、それから苦笑まじりの吐息をつくと、

「へっ、食えねえ鼠だぜ」

瓢六はねぐらへ戻って行った。

四

姉の政江が縁談を持ってきたとき、弥左衛門は上の空だった。

「聞いておるのですか。お相手は賄い組頭・後藤忠右衛門《ちゅうえもん》さまのご三女、八重《やえ》さまと申されるお方です。後藤さまは我が主殿《あるじどの》の上役にあらせられ、そのご縁でこたび……」

政江は賄い方を務める御家人・沢田与兵次のもとへ嫁し、一男三女を得ていた。大柄なところも目鼻だちのどっしりしたところも弟とよく似ているが、性格は正反対で、なにごとにつけてもしゃしゃり出ないと気が済まない。よくしたもので、夫の与兵次はそ

の分無口でおとなしく、夫婦仲は円満だった。

姉には勝手にしゃべらせておけばいい。政江がまくしたてている間、弥左衛門は適当に相槌を打ち、別のことを考えていた。

おみちの一件である。当初の予想に反して、いまだ解決をみていない。下手人を捕えて大牢へ送り込むまではよかったが、それからがとどこおっていた。

作次郎は伊助に恨みを抱いている。殺害時刻に現場近くの土手にいた。おみちが連れていた子供を裏店へ連れ帰っている。いずれを取っても、下手人は作次郎以外にはありえないと、当初、弥左衛門は確信していた。だが、その自信が今頃になってぐらつきはじめている。

ひとつは、作次郎の踏んばりである。

拷問にかければ、大半の者は罪を認める。ところが、どこにそれほどの気概《きがい》があるのか、ひょろりとして青瓢箪のような作次郎は、血を流し、苦悶にうめきながらも、頑として罪を認めようとしなかった。

それに加え、こともあろうに、瓢六が横槍を入れている。

瓢六自身、裁きを待つ身だ。入牢中の小悪党にすぎない。わめこうが懇願しようが放っておけばよいのだが、瓢六にわめかれると、弥左衛門は妙に落ちつかない気分になった。

弥左衛門もこれまで手をこまぬいていたわけではない。おみちの身辺を洗いざらい調べあげた。だがおみちには、他人から恨みを買った形跡はなかった。婚家とは双方合意の上で離縁している。裏店での評判も上々だった。

となると、やはり伊助の筋しかなかった。岡っ引をしていた伊助なら、逆恨みされても不思議はない。作次郎か、だれか伊助に恨みを抱く者がおみちを誘いだしたのではないか。あの場所を選んだのは、日中人影がないからだろう。

それにしても、おみちはなぜ、わざわざ松吉を連れて行ったのか。

「旦那の目は節穴だ」

瓢六はせせら笑った。先日、牢に作次郎を訪ね、久々に顔を合わせたときのことである。

「おまえの目は、節穴ではないというのか」

「あたりきよ」瓢六は肩をすくめた。「おいらの目はな、見えるものだけ見る。見えねえものは見ねえ」

弥左衛門がけげんな顔をすると、あざけるように鼻を鳴らした。

「本物と偽物のちがいがわかるってことさ」

「えらそうな口をきくではないか。おまえなら下手人をお縄にできる、とでもいいたそうな口ぶりだが……」

「できるとも」瓢六はこともなげに応えた。「こっから出してくれたら、とっつかまえてやってもいいぜ」

弥左衛門は眉をよせた。まったくもって小生意気な奴である。そのくせ、あのときの瓢六のまなざし、口ぶりを思いだすたびに焦燥に駆られた。

なぜだ。なにゆえ、あやつなんぞに気を取られる――

「ようございますね、弥左衛門どの」

政江に同意を求められ、弥左衛門は我に返った。ようございますね、と念を押されても、なんのことやらさっぱりわからない。

「わたくしの話を、聞いていなかったのですか」

「は、はあ、いや、聞いておりました」

「なれば、よろしいのですね」

「はあ、その……姉上の仰せの通りに」

苦しまぎれに応えると、政江は頰をゆるめた。

「後藤さまは行儀作法にうるさいお方ゆえ、粗相《そそう》のないようにの」

姉の最後のひと言に「おや」と首を傾げたときである。

小者の義助《ぎすけ》が呼びに来た。

「粕谷《かすや》さまがおいでにございます。お奉行所で菅野さまがお呼びだそうで」

粕谷平太郎《へいたろう》は弥左衛門の同僚である。

「姉上、まことに相済みませぬが、それがし、これより粕谷どのと共に奉行所へ参らねばなりませぬ。このところ御用繁多にござって」

「お役目とあらばいたしかたありません。話は終わりました。わたくしも家へ帰ります」

弥左衛門は救われたように息をついた。

「なれば、姉上」

政江はうなずく。

「さ、粕谷さまがお待ちです。早くお行きなさい」

菅野さまの用件とはなんだろう、そそくさと玄関に向かう弥左衛門は、もう姉のことなど忘れていた。

五

菅野一之助は、与力番所ではなく、別棟の官舎にいた。文机に向かって、書き物をしている。弥左衛門とは対照的に、菅野はやせぎすで色白の、品のよい顔だちの男だった。

敷居際で声をかける。菅野は目を上げた。が、その目は部下の顔を素通りして、庭のかなたに向けられていた。

「長崎の正月はどんなであろうの」

「はあ？」

間のぬけた返答をして、弥左衛門も上役の視線を追いかけた。殺風景な箱庭である。おざなりに敷いた砂の上に、傾いた石灯籠がひとつ、その脇に、まばらに花をつけた貧弱な山茶花《さざんか》が植えられている。

「長崎が、どうかいたしましたか」

「さぞや華やいだ正月だろうと思っての」

弥左衛門は応えに窮した。

「それがしには想像がつきかねますが……」

「一度行ってみたいものだ。おぬしはどうだ？」

「長崎へ、にございますか。いえ、別段」

菅野は弥左衛門のごつい顔をちらりと眺めた。

「ま、よい。話があるというたは瓢六のことだ」

弥左衛門ははっと表情をひきしめた。

「何やら騒いでおるそうだの」

「お耳に入りましたか」

「囚人どもを銭であやつり、牢役人に楯突かせておるそうな。森下どのが困惑しておった」

森下新九郎は、牢屋見廻り与力である。

弥左衛門は眉をひそめた。

「どうにも、手に負えぬ奴にございます」

「おぬし、瓢六の余罪を調べさせておるそうだの」

「はあ。それと、奴の素性につきましても、目下、地廻りどもに探らせております」

「素性はとうに知れておる」

弥左衛門は目を丸くした。

大番所で下吟味に当たったとき、菅野は瓢六にろくすっぽ関心を示さなかった。入牢証文の許可を願い出たときも、気のない顔で、「そのほうに任せる」とひと言、いったきりだった。いつのまに調べあげたのか。

だが、問うのは止めた。菅野には何を考えているかわからぬところがある。端《はな》から弥左衛門の相手ではない。

「お聞かせください」

弥左衛門は膝を進めた。

瓢六の素性ならぜひとも知りたい。食い詰めて江戸へ出て来た百姓の倅《せがれ》か、親に勘当された商人《あきんど》の子か、それとも、そもそも捨て子だったということも……。

だが、菅野の応えは思いもかけないものだった。

「瓢六は、長崎で地役人をしておったそうな」

弥左衛門はあっけにとられた。伝法な江戸言葉で話す瓢六が――賭場に入り浸り、数々の悪事の余罪を疑われている男が――長崎の、それも役人だったという事実に言葉を失っている。

「あやつは四年前、二十二で江戸へ出て参ったそうだ」

「お待ちください。地役人、ということは……」

「うむ。唐絵目利き《からえめき》に名を連ね、阿蘭陀通詞《オランダつうじ》、楢林《ならばやし》家の稽古通詞見習いをも務めておったそうでの、楢林家では、ゆくゆく養子に迎え、跡を継がせてもよいと考えておったというのだが」

唐絵目利きとは、唐や阿蘭陀からの輸入品を検査し、写生する役で、長崎奉行の配下にあった。役人といっても、実際は町人の片手間仕事である。

通詞は世襲で、楢林家をはじめ、平戸と長崎合わせて常時十六、七の家が定められている。

目利きも通詞も、相応の人物でなければ務まらない役職だ。にわかには信じられない。だが、おどろくのはまだ早かった。

「出島に出入りしておるうちに関心を抱いたのだろう。あの男、蘭医学も齧《かじ》っておったという。天文学や本草学の心得もあるそうだ」

「………」

「江戸に参ったのも、幕府から和蘭書籍和解《わげ》御用の一人に推挙されたためだそうでの……」

和蘭書籍和解御用とは、阿蘭陀語の翻訳を司る役所である。

弥左衛門は瓢六の抜け目なさそうな顔を思い浮かべた。阿蘭陀通詞は「舌人《ぜつじん》」と蔑称されることもあるが、たしかに、ああいえばこういう、へらず口を叩くにふさわしい、よく動く唇だった。それにしても――。

「つまりその、瓢六はただの悪党ではないと……」

「幼い頃より、物の目利きに長《た》けておったそうだ。長崎で綺羅屋《きらや》の六兵衛といえば、たいがいの者は知っておる」

「綺羅屋の六兵衛？」

「本名は六兵衛といって、古物商『綺羅屋』の倅《せがれ》だ」

ますますもって不可解な男である。当惑しつつ、弥左衛門は思わず身を乗りだしていた。

「その六兵衛が、なにゆえ幕府の御用を辞退し、名を変えて博徒などに身を堕《お》としたのでしょうか」

「わからぬ。なんぞ、不本意なことでもあったのではないか」

菅野が相変わらず庭を眺めているので、弥左衛門もやむなく庭に目をやった。山茶花の枝に止まった雀が羽をはばたかせるたびに枝葉がざわめいている。

「いずれにせよ、一筋縄ではゆかぬ男であることはたしかだ」

菅野は雀の動きを目で追いながら、思いついたようにつぶやいた。

「案外、使えるやもしれぬの」

「は？」

弥左衛門は菅野の顔を見返した。その眸が躍っているのを見て、いやな予感にとらわれる。

「使える、とは？」

「目利きというのが気に入った」

そういえば、瓢六は弥左衛門に、自分には本物と偽物の区別がつくと大言壮語を吐いたのである。なるほど目利きをしていたという自負から出た言葉かと思うと、納得する反面、こしゃくな物言いが小憎らしくもあった。

「油断のならぬ奴です。へたをすれば足元をすくわれましょう。先日も、作次郎の一件に口を差し挟み、自分に探索を任せれば下手人をあげてみせるなどと、突拍子もないことを申しました。それがために囚人どもを煽動して役人に楯突いておるなら、これは、まこともってけしからぬことです」

弥左衛門が苦々しげにいうと、菅野は部下に険しいまなざしを向けた。

「今もって下手人が定まらぬは、おぬしらの力が足りぬからだ」

「は？　はあ、さようではありますが……」

突然矛先《ほこさき》を向けられ、弥左衛門は目を白黒させた。

「伊助と申す男はわしも存じておる。おぬしの手となり足となり、よう働いてくれたというではないか。伊助の働きに報いるには、一刻も早く下手人をあげねばならぬ」

「承知しております。我らも総力をあげて探索中です」

「おぬしらの総力と目利きの勘と、どちらが当たるか、いっそ試してみたらどうだ」

菅野は冗談とも本気ともつかぬ顔でつぶやいた。

弥左衛門は一瞬、絶句したのち、

「試す、と申されますと？」

上目遣いに上役の顔をうかがった。

「瓢六に、下手人をあげさせるのだ」

「瓢六は囚人です」

「まだ裁きが下ったわけではない」

「なれど、あやつは大牢に……」

「期限つきで、出してやればよいではないか」

「滅相《めっそう》もありません」弥左衛門は顔色を変えた。「逃げられたら、なんといたします？」

「牢破りは遠島だ。が、博打の咎なら百敲き、または入れ墨。悪くしても所払いで済む。噂どおり、あやつが目から鼻にぬけるようにずる賢い男なら、わざわざ遠島になるような真似はすまい」

「しかし、かような例はこれまで一度もありません」

「たびたびあってたまるか。だが、なにごとにも例外はある」

「あやつめ、なんと申しますか……」

「瓢六には、首尾よく下手人を見つけだせば刑を軽くしてやるといえばよい。正月は月番ゆえ、わしの一存でいかようにも計らえる。大罪人ではないのだ。格別な温情をもって、松の内だけ牢から出してやれ」

　弥左衛門はからかわれているのだと思った。が、そうではなかった。

「まさか、本心からの仰せではありますまいな」

「むろん、本心だ」菅野は真顔でいった。弥左衛門の仏頂面にからかうような視線を向ける。「実は、早う下手人をあげろと、お奉行に檄《げき》を飛ばされた。南町から厭味をいわれたらしい。ここはなんとしても下手人を捕らえねばならぬ。毒をもって毒を制す。蛇《じゃ》の道は蛇《へび》ということもある。わしは瓢六に賭けるぞ」

六

「そいでよォ、涙ながらに手ェ取り合って、お父つぁん、常吉、てなわけでよ。今じゃあ、すっかり井筒屋の若旦那でござい……」

「尻っぺたの痣がこしらえもんだとわかったら、爺さん、ひきつけを起こすぜ」

「その前にくたばってらあ」

「しかしなんだな。歳とるてぇと、だれしも目ん玉の黒いうちに、血を分けた子や孫に逢いてえと思うようになるんだろうな」

「おめえもよ、こさえた子の居所くらいは、覚えといたがいいぜ」

「そいつァ無理だ。覚えられる数じゃねえ」

囚人どもはどっと笑う。

瓢六は顔を上げた。

「おい。今の話、もう一度聞かせてくれ」

声をかけると、囚人どもはいっせいに振り向いた。あばた面の佐助が這い寄って来て、雑談の内容をくり返す。

佐助によると、失《う》せ人探しという商売があり、大店の主人や由緒ある武家などから、生き別れになった子や孫を探してくれとの依頼がけっこうあるのだという。本物が見つかればよし、見つからなければ偽物を仕立てて送り込む。

「可愛いんだろうよ、血がつながってると思やァそれだけで……」

瓢六は思案した。

とらわれの身だからといって、手をこまぬいているわけではない。聞き耳をたて、新たに得た手がかりを組み立て、自分なりに策を練っている。

小伝馬町の牢屋敷は二千七百坪もある広大な屋敷だ。身分や性別で揚座敷・揚屋・大牢・二間牢・百姓牢・女牢の別がある。しょっちゅう死人や新参者の出入りがあるため正確な人数はわからないが、江戸市中からひったてられた悪党どもが、東西二箇所にある大牢だけでも二百名近くひしめいている。

どこそこ、といえば、かならず界隈の地理に詳しい者がいた。あらゆる仕事の経験者がいて、その道の達人がいる。しかも囚人どもの話は、とっぴなようでいて地に足がついていた。机上の空論に明け暮れ、黴《かび》のはえた古例にしがみついている奉行所の役人にはとうてい太刀打ちできるものではない。

殺されたのはおみちだ。子供は無事連れ戻され、ぴんぴんしている。だれもが下手人の狙いはおみちだと思い込み、子供のことは忘れていた。

いいや。狙いはおみちじゃねえ――。

瓢六は確信していた。

おみちはわざわざ「松吉」を連れて「横川の川原」へ出向いた。だれかと逢う約束をしていたのだろう。そのだれかとは、おみちではなく、松吉にかかわる人間だ。松吉に逢うことを望み、だが、松吉を殺すことは望まない人間……。

「おめえ、失せ人探しをしている野郎を知ってるのか」

瓢六は佐助に訊ねた。

「へい。幼なじみなんで」

「そいつに訊ねれば、秋口からこっち、失せ人探しを依頼した者の名がわかるか」

「ああいった商売は横のつながりがありますんで、たいがいは」

「そんなら、そいつに頼みてェことがある。おっと、銭なら心配いらねえぜ」

「へい、そんならもう一も二もなく」

三つ四つの男児を探していた者はいないか。ついでに松吉の母親の素性も調べさせようと、瓢六は考えた。元手があり、伝《つて》があれば、牢内にいても娑婆の人間を動かすことができる。つなぎの役は、お袖がふたつ返事で務めてくれるだろう。

もうひとつ、瓢六は知りたいことがあった。

おみちはなぜ、横川の川原で殺されたのか。あそこは夜鷹の巣窟である。おみちか、でなければ松吉の母親と夜鷹を結びつけるものが、どこかにあるような気がする。

瓢六は目利きをしていた。偽物はたいがいの場合、本物より本物らしく見えた。一見しただけで真偽を見極めるのはむずかしい。だが贋絵《にせえ》や贋の焼物には、素人にはわからぬゆがみがあった。

人にも、目に見えないゆがみがある。岡っ引の娘だからといって、おみちにそれがないとはいえない。

瓢六は名主を見上げた。

雷蔵はいつものように、九枚重ねの畳の上に巨体を横たえ、楊枝で歯をせせりながら、下界を見渡していた。はれぼったいまぶたの下の目は、意表をつくほど聡明だ。雷蔵を動かせば、闇の世界のことが手に取るようにわかるはず。

「佐助といったな」瓢六は視線を戻した。「おめえのこたァ覚えておくぜ」

瓢六がいうと、佐助は欠けた前歯をむきだして人なつこい笑みを浮かべた。仲間の輪へ戻ろうとするのを引き止め、

「ところで佐助、おめえはなんで牢にぶち込まれたんだ」

聞きたいわけではなかったが、お愛想に訊ねてみる。

「へへへ」佐助はあばた面をつるりと撫でた。「腹が減ったんで、だまっておまんまをいただいた。するてェと店中のもんがよってたかってあっしを叩きだした。で、腹に据えかね、日暮れを待って、もいっぺん忍び込んだ。ひとり残らずめった斬りにしてやったんでさ」

邪気のない笑顔を、瓢六は呆然と見返す。

娑婆が浮世なら、ここは地獄だ。正気と狂気すれすれの人間が集まっている。だが、待てよと、瓢六は思いなおした。往々にして、本物が偽物で偽物は本物だ。存外、こっちが浮世で、あっちが地獄かもしれない――。

元日の朝、瓢六を解き放つ際、弥左衛門はもったいぶっていった。

「不本意ではあるが、上役の命ゆえいたしかたない。助っ人がいるときは遠慮なく申せ」

「へい」と応えたものの、弥左衛門の助けなど、瓢六はあてにしてはいないようだった。大晦日に牢を見舞い、期限つきで娑婆に戻してやるといったときも、ごく当たり前のようにうなずいただけだ。平然とした態度が胡散《うさん》臭く見えたものである。

弥左衛門は不安になって、しつこく念を押した。

「お袖と申す女の家に寝泊まりするのだな」

「さようで」

「居所がわかるようにしておけよ。妙な気を起こすと、痛い目に遭うぞ」

「へい」

瓢六は神妙に頭を下げた。

くるりと背を向け、遠ざかってゆく。四カ月ぶりに味わう娑婆の空気を満喫するように、後ろ姿がはずんでいた。

「目を放すな」

瓢六が角を曲がるや、弥左衛門は源次に目くばせをした。

「合点承知」

源次は後を追いかける。

七

「ねえ六さん、おまえさんがいなくて、どんなに寂しかったか……」

逃げられては一大事とばかり、お袖は片手を瓢六の腰にまわしている。もう一方の手で銚子を引きよせた。

燗酒は冷めていた。が、体は火の玉のように火照っている。ひとつ盃で代わる代わる喉を潤し、二人はもつれ合うように寝床へ倒れ込んだ。

冬木町にあるお袖の家は、庭つきの小ぎれいな二階家である。庭には白梅紅梅が咲き乱れている。だが瓢六に、庭木を観賞している暇はなかった。与えられた日数はたったの十日、十一日の鏡開きには、牢屋敷へ戻らねばならない。

瓢六はこれまで女に不自由したことがなかった。どこへ行っても女がついて来た。惚れっぽいから、すぐに手を出す。それでいて揉め事がなかったのは、口八丁手八丁、器用に泳ぎまわってきたからだろう。

ところが、お袖に出会ってからは勝手がちがってしまった。お袖はとびきりの女だ。受け口気味の唇と切れ長の目元に、えもいわれぬ色気がある。くずれているようで凛《りん》としたものがあり、そのくせ、しおらしいところもある。欠点をいえば、悋気《りんき》がはげしいことか。

お袖の焼き餅は尋常ではなかった。通りすがりの娘と、それも十三、四の小娘と目が合ったというだけで、丸一日ふくれている。

瓢六の下で身をよじりながら、お袖は忍び笑いをもらした。

「なんでぇ。いきなり」

瓢六は愛撫の手を止めた。

「おまえさんがいないのは寂しいけれど、ひとつだけ、いいこともあると思ってさ。牢屋の中じゃ、できないものね」

「何が、できないんだ」

「浮気に決まってるだろ。だってほら、女がいないんだから」

女がいなければ安心だとはいいきれない。牢内では男色がはびこっている。だが、そんなことをいって、お袖の不安をかき立てるつもりはなかった。銭のある者はなにごとも強要されずに済む。とりあえず、瓢六の身は安全だった。

「浮気なんぞするもんか。おいらはな、朝晩、おめえのことばかり考えてたんだぜ、お袖。こうしておめえを抱いてるときのことをよ」

力いっぱい抱きしめると、お袖は小鳩のような声をもらした。瓢六の背中に腕をまわそうとして眉をよせる。

「鏡開きの日に戻らなくちゃならないなんて、あわただしいねえ」

「しかもその間に、大事な仕事がある」

「例の一件だろ」お袖は瓢六の頰を撫でた。「いいのかい。こんなことしてて」

「いいってことよ」瓢六はお袖の指をとらえる。指をつかんだまま、乳房に顔を埋めた。

「とうに手は打ってあるんだ」


「まだ、出て来ぬのか」

弥左衛門は源次をにらみつけた。

自分の落ち度でもあるかのように、源次は首をすくめる。

「もう十日目だぞ、牢を出て十日」

「へい」

「ただの一度も顔を見せぬ」

「へい」

「雨戸も締め切り。戸にもつっかい棒がかってある」

「へい」

「その間、女とこもりきりか」

「へい」

弥左衛門はかっとなった。

「へい、以外に返事はできぬのか」

「へい。あ、いや、さようで」

弥左衛門はふんと鼻を鳴らした。

「まことにその、お袖とか申す女と、飽きずにその……何をしておるのだな」

「それらしき声が聞こえておりますんで、おそらく。いえ、むろん、ずっとというわけではありやせんが……。鼾《いびき》が聞こえるときもあり、笑い声が聞こえるときもあり、酒盛りの気配も。へい」

「まったくもって、けしからん奴だ」

弥左衛門はいまいましげに拳を握りしめた。

源次と源次の手下が瓢六を見張っている。牢を出た瓢六は真先に湯屋へ行った。その足で半日、精力的に動きまわった。

ところがそうした訪問先に、おみちの一件とかかわりのありそうな場所はなかった。瓢六は、囚人どもから託された文や伝言を、それぞれの家族や情婦、仲間のもとへ届けていたのである。一人でこなせない分は娑婆の仲間に託した。源次の報告を聞いておどろいたのは、瓢六の交友関係が、博徒やごろつきだけでなく、武士から商人、医者、学者と多岐《たき》にわたっていたことだ。さすがは元目利きだけある。

夜になって、瓢六はお袖の家へしけ込んだ。それからなんと九日、二人は昼夜分かたず、恥ずかしげもなく家にこもりきっている。

大言を吐きおって、とんだはったり野郎だ——。

弥左衛門は腹を立てた。もっともらしくおみちの一件を持ちだしたのは、女に逢いたいための出まかせだったのか。瓢六には特別な計らいをしてやった。奉行所の面々も息をひそめて成り行きを見守っている。それを知りながら、のうのうと女といちゃついているとはなんたることか。

「すこぶるつきのいい女ですから、無理もねえんでしょうがね」

源次が機嫌をとるようにいう。そのひと言がますます神経を逆撫でした。

そういえば、お袖は、牢内の瓢六にせっせと金を貢《みつ》いでいたという。瓢六ごとき小悪党が、女、それもとびきりいい女にちやほやされる。一方、弥左衛門は真面目にお上の御用を務め、江戸の治安を守らんがため日夜神経をすり減らしている。それなのに、女には縁がない。口うるさい姉から、意にそまない縁談を迫られている。

これではあまりに不公平ではないか。

ま、好きにするがいい――。

明日になれば、瓢六はすごすご牢へ戻ることになる。菅野はお奉行の叱責を買う。弥左衛門にもむろんとばっちりが降りかかる。迷惑千万な話ではあるが、一方で、胸のすくこともあった。

これに懲《こ》りて菅野さまも、悪党に探索を任せるなどという馬鹿げたことは二度となさるまい。

「まだひと晩ある。見張りを怠るな。行け」

弥左衛門は源次を追い払った。源次が逃げるように帰って行くと、賄いの婆さんに夕《ゆう》餉《げ》の支度をさせた。献立は大根の煮つけ、それにみそ汁と香の物だ。

いざ箸を取ろうとしたときだった。源次が泡を食って戻って来た。帰り道で、瓢六の見張りをさせていた下っ引と鉢合わせをしたという。

「瓢六から伝言がありましたそうで」

弥左衛門は箸を置いた。

「伝言？」

「へい。手助けを願いてえと」

弥左衛門は思わず身を乗りだした。

「下手人が見つかったのか」

「いえ。今宵ひと晩、小川町にある大和屋の別宅を見張ってほしいそうで。変事があったら、すぐに知らせてくれと」

「大和屋といえば、日本橋の太物屋ではないか」

「へい、さいですな」

「大和屋が、作次郎の一件にかかわっていると申すのか」

弥左衛門はけげんな顔である。

「さあ」源次も首を傾げた。「それについちゃあ何も聞いちゃおりやせん。つい先刻、お袖の家に古着屋が商いに参りやした。それから魚屋が来て、八百屋が来て、鋳掛《いかけ》屋が来て、小間物屋が来て、ぼて振りどもが帰ると瓢六が出て来て、あっしの子分をつかまえ、伝言を頼んだという次第でして……」

瓢六には、いつでも手助けすると請け合っている。否とはいえなかった。

「わかった。ともかく見張りをつけよう。わしも行くゆえ、おまえも手下を連れて来い」

「承知いたしやした。では、のちほど大和屋の別宅で」

源次はそそくさと帰ろうとした。

「待て」と、弥左衛門は呼び止めた。「変事が起きたら知らせろ、ということは、瓢六は大和屋へは来ぬ気だな。奴は何をしておるのだ」

源次は、雷を避けるように身をちぢめた。

「女のそばを離れる気がねえようでして」

八

見張りを頼んでおきながら、あやつめ、ぬくぬくと女といちゃついておるとは——。

春とは名ばかりの寒風のなかで、弥左衛門は貧乏ゆすりをしていた。じっとしていると、寒さで背筋が凍りつきそうだ。

「旦那は帰っておくんなせえ。ここはあっしらだけで間に合いますさあ」

源次が気づかわしげに声をかけた。

大和屋の別宅は源次の子分たちが取り囲んでいる。弥左衛門の出番はなさそうである。

「うむ。なれば、ひと眠りしてこよう」

踵を返そうとしたときだった。家の中から、女の悲鳴が聞こえた。

二人ははっと顔を見合わせた。

「なにごとだ」

「おい、どうした」

子分たちが雨戸に駆け寄り、口々に叫ぶ。

「戸を開けろ」

雨戸が開いた。三十がらみの艶《あで》やかな女が、雨戸に手をかけたまま立ちすくんでいた。

「案ずるな。奉行所の者だ」弥左衛門は一歩進み出た。「悲鳴が聞こえたようだが……」

女はうなずいた。蒼白な顔に困惑の色が浮かんでいる。

「旦那さまが、たった今……」

女は声を詰まらせ、掻巻《かいまき》の袖を目頭にあてた。

源次の合図で、子分たちが家の中へ駆け込んだ。

大和屋の五代目当主・徳兵衛は夜具の中でこと切れていた。


瓢六が駆けつけたとき、弥左衛門は仏頂面をしていた。弥左衛門を取り囲むように、源次と手下が所在なげにたむろしている。帰ろうと思うのだが、そそくさと帰るのも無粋な気がして、一同、なんとなく愁嘆場につきあっている、といった恰好である。

仏の枕元には先刻の女がいた。嗚咽をもらしている。女のそばに、知らせを聞いて別棟から飛んできた老爺《ろうや》と女中が、これも悄然とした顔で鼻をすすっていた。

瓢六を見ると、弥左衛門はいまいましげに源次をにらみつけた。

「だれがこやつを呼べと申した」

源次は首をすくめた。

「変事があれば呼ぶようにいわれましたんで、へい」

「変事なものか。死病に罹《かか》っておった老人が息をひきとった。それだけではないか」

弥左衛門の不機嫌の原因は多々ある。瓢六の意のままに動かされた悔しさがひとつ。なにゆえ我が家を見張っておられたのですかと女に訊かれ、応えられなかった不甲斐《ふがい》なさがひとつ。その上、源次までがどさくさに紛れ、弥左衛門の許可なく手下に瓢六を呼びに行かせた。どいつもこいつも、と思うと腹立たしい。一番の原因は、寒さと空腹だった。

「よかろう。引き上げるぞ」

弥左衛門は一同をうながした。

と、そのときだった。

「旦那、待ってくんねえ」瓢六が口を挟んだ。「骸はあらためねえのか」

弥左衛門はいぶかしげな顔で振り向いた。

「徳兵衛は長患いをしていた。医者からも、今日明日の命といわれていたそうだ。よく見てみろ。いつ死んでもおかしくない顔をしていようが」

瓢六は骸に歩み寄り、徳兵衛の死に顔を覗き込んだ。骸骨のように痩せ、死斑《しはん》が浮きでて、なるほど死病にとりつかれた男の顔である。だが、瓢六はその顔に、弥左衛門が見落としたものを見た。骸の口許が不自然にゆがんでいる。驚愕、それに一瞬にして襲った苦悶の跡。

瓢六はいきなり、夜具をまくり上げた。

「お、おい。何をする気だ」

弥左衛門はじめ、一同は息を呑んだ。

徳兵衛は帷子《かたびら》を着ていた。胸元が乱れている。瓢六が帷子を引きはぐと、鳩尾《みぞおち》に、棒で突かれたような、一寸ほどの赤い痕《あと》がくっきりと残っていた。


深更である。

瓢六と源次を両脇に従え、弥左衛門は女と対峙《たいじ》していた。

女は徳兵衛の後妻でおなみという。歳は三十一。六十半ばの徳兵衛からすれば、娘のような女房である。ぼってりした唇と一皮目のやさしげな顔だちの女で、ふとした仕種《しぐさ》に匂うような色香がある。

おなみについては、源次の子分たちが、すでに生い立ちから人柄、大和屋の使用人たちの評判や徳兵衛との夫婦仲まで、あらかた調べあげていた。

おなみは傘張り浪人の娘で、困窮しているところを徳兵衛に拾われた。夫によく仕え、万事に控えめで、使用人たちの評判もよかった。仏の枕辺に膝をそろえて涙をこらえている女は、心底、亭主の死を悼《いた》んでいるように見えた。

「別宅にはお内儀と女中、それに老爺が泊りこんでおるのだな」

「はい。三ガ日は年賀の客がひきもきらず、店から手伝いの者たちが大勢来ていたのですが、ようやく一段落しました」

寝たきりになっても、徳兵衛は大和屋の当主として君臨していた。店は番頭に任せていたが、毎日のように商いの出来を報告させ、自ら指示を与えていたという。

「跡取りは決まっておらぬのか」

弥左衛門が訊ねると、おなみは目を上げ、弥左衛門の顔を見た。すっと目を伏せ、小さくうなずく。

徳兵衛には、先妻との間に息子がいた。玄人女に入れ揚げ、店の金を使い込んだため、十年ほど前に、勘当されている。その後、息子は勘当が解けぬまま病死していた。

「店はどうするのだ」

「当分はこのまま……」

おなみが女主となり、番頭が店の切り盛りをするということらしい。番頭は升吉《ますきち》という三十七になる男で、これまで主人の代役を務めていたから、商いに支障はない。

「それにしても妙だ」

弥左衛門は首を傾げた。

長患いしていた当主が死んだ、それだけなら、なんということもない。速やかに葬儀を営めば済むことだ。はじめはだれもがそう思った。

ところが、知らせを聞いて駆けつけた瓢六が待ったをかけた。あっけにとられている一同を尻目に、仏の体を調べ、鳩尾に棒で突かれた痕があるといいだした。そこで医者が呼ばれた。徳兵衛は何かで胸を強く突かれ、窒息死したと医者も断言した。

徳兵衛の寝間の隣はおなみの部屋。他に八畳ほどの客間がある。が、人が潜んでいた気配はなかった。いずれの部屋にも家具調度はない。床の間はあるが掛け軸がかかっているだけで、花木も置き物もなく、凶器になるようなものも見当たらなかった。女中と老爺は厨《くりや》のある別棟で寝起きしている。徳兵衛が死んだときは部屋で眠っており、この二人が無関係であることもまず間違いない。

となると、何者かが外から侵入して、棍棒か刀の柄で徳兵衛を強打し、死に至らしめたと考えたいところだが、この夜は偶然にも、源次とその子分たちが別宅のまわりに張りついていた。忍び込んだ者はいない。

偶然にも？　いや、偶然ではない――。

弥左衛門は思案した。

瓢六は大和屋で異変が起こることを予想していた。なぜ知っていたのか。それより、おみち殺しの下手人を捕らえようと意気込んでいた瓢六が、なぜ大和屋に目をつけたのか。

そういえば、瓢六は医者が帰ってから、まだひと言も口をきいていなかった。

焦燥にかられ、弥左衛門は瓢六の横顔に目をやる。

瓢六は両手を膝に束ね、部屋の中を見まわしていた。女にも骸にも関心はないらしい。目利きがまずは絵の全体を見て真偽を計るように、この場の光景を、一心にまぶたに焼きつけている。はじめて見る瓢六の鋭いまなざしに、弥左衛門は瞠目した。

明け方近く、源次と手下を残して、弥左衛門は一旦、役宅へ戻った。瓢六を伴っている。

「どういうことだ」

戻るなり弥左衛門は問いただした。

「どういうことってなあ、どういうことだ」

欠伸《あくび》を嚙み殺しながら、瓢六は訊き返した。先刻までの鋭い表情は消え失せ、人を小馬鹿にしたような薄笑いを浮かべている。

弥左衛門はむかっ腹をたてた。

「おまえを牢から解き放ったのは、おまえが、おみち殺しの下手人を捕らえるといったからだ」

「仰せのとおり」

「ところが、おまえがしたことはなんだ。四人どものために使い走りをしただけで、あとは毎晩、女の家に入り浸りだ。あげく、かかわりのない事件に首を突っ込む。大和屋の一件はともかく、おみちの件はどうするつもりだ。明日はもう、約束の十一日だぞ」

瓢六は動じなかった。

「がみがみいうない。まだ明日があるんだ。さあてと旦那、おいらはちょっくら寝かせてもらうぜ。お袖が寝かせてくれねえんで、ここんとこ寝不足なんだ」

ごろりと横になって、憐れむように弥左衛門のいかつい顔を眺める。

「とっつきは悪いが、よく見りゃあなかなか味のある顔じゃねえか」

勝手なことをうそぶいて、殺風景な部屋に視線を移した。

「こうしてみると、旦那も、なんだか寒々した暮らしをしてるみてえだな。お内儀をもらやァいいんだ。なんなら、おいらが世話してやろうか」

「へらず口を叩くな」

弥左衛門は瓢六をにらみつけた。火桶に鉄瓶をのせ、両手を翳《かざ》して暖をとる。

「それよりどうするつもりだ。のんびり寝ている場合ではなかろう」

「おみちの件なら、下手人はわかってる」

弥左衛門は眉をつり上げた。

「今、なんと申した」

「おみちを殺《や》ったなァ、大和屋を殺した野郎だ。おっと、横川の川原でおみちの首をしめたなァもう一人のほうかもしれねえが、ま、同じ手合いにはちげえねえ」

「ど、どういうことだ」

瓢六は身を起こし、あぐらをかいた。酒はねえかと訊ね、ないといわれて舌打ちをする。

「松吉ってェ坊主は、大和屋の孫さ」

「なんだと！」

「徳兵衛の息子には子がいた。死期が近づいた徳兵衛は、逢ってみる気になった。場合によっちゃあ、跡取りにしてもいいと思ったらしい。おたきを捜しだし、番頭の升吉に逢う手筈を整えさせた。ところが、孫に出て来られちゃあ困る奴がいた」

「おなみ……か」

「それと、升吉。二人のことは、よくある、主の目を盗んでなんとやら、てェわけさ」

「だが、殺されたのはおたきではない。おみちだぞ」

「夜鷹には元締がいる。名はいえねえが、牢内に横川の元締と親しい奴がいた。で、調べてもらったのさ。徳兵衛の息子と駆け落ちしたはいいが、亭主に先立たれ、松吉を抱えて、おたきはにっちもさっちもいかなくなった。それで、夜鷹になった。昨年の秋、おたきは新米の夜鷹を連れてきたそうだ」

弥左衛門は耳を疑った。金に困っていたとはいえ、岡っ引の娘が夜鷹に堕ちていたとは信じられない。

それが本当なら——。

おみちを追い詰めた責任の一端は自分にもあると、弥左衛門は思った。伊助が十手を返しに来たとき、親身になって相談にのってやることもできた。音信不通になったとき、探す努力をすれば見つかったはずである。忙しさにかまけ、結局は伊助を見捨ててしまった。心のどこかに、岡っ引を軽く見て、使い捨てにしてもよいという不遜《ふそん》な気持ちがなかったか。

弥左衛門は、あらためて瓢六の顔を見た。

どんなにいばったところで、岡っ引はしょせん岡っ引、お上から給金が出るわけでも、身分の保証があるわけでもない。同様に、目利きもしょせん町人の片手間仕事だ。勝手な推測ではあったが、人一倍賢い瓢六が、使い捨てにされることに不満を抱き、堅苦しい役目に縛られることを嫌って、己の才覚をもっと別のことに使おうとしたというなら、ありそうなことである。

だが、今は瓢六の素性云々《うんぬん》にかまけているときではなかった。

「おみちが殺される数日前から、おたきは風邪をひいて寝込んでいた」

瓢六はつづけた。

夜鷹には縄張りがある。おたきの縄張りに立っていたために、おみちはおたきと、つまり松吉の母親と間違えられた。が、そのことをおたきにはいわず、子供を連れて来れば金をやるという男の誘いにのって、松吉を川原へ連れて行った。

「牢に、蛤町の裏店に住んでいた奴がいた。そいつの嬶《かかあ》に頼んで家捜しをさせたんだが、おみちの家の米櫃《こめびつ》の下に、小判が一枚、隠してあったそうだ。おそらく手つけ金だろう」

「……………」

「ついでにいやあ、日本橋の大店で手代をしていた奴もいた。店の金を盗んだってんで牢にぶちこまれた野郎だが、こいつが大和屋の内情に詳しくてよ」

弥左衛門は言葉を失っていた。

囚人どもが総力を結集すれば、下手人をあげるなどたやすいということか――。

瓢六に賭けるといった菅野の顔を思いだして、弥左衛門は苦笑した。

「話はわかった。ところで、なにゆえ今晩、徳兵衛の命が危ないとわかったんだ」

「明日、松吉を連れて行くと、知らせをやったからさ」

「なるほど。それで源次に、別宅を見張るように頼んだのか」

「てっきり升吉が来ると思ったんだが、それだけはあてがはずれた。大和屋には気の毒なことをしちまった」瓢六はため息をついた。「まさか、女が手を下すとはな……」

「待て待て」弥左衛門はまたもや眉をつり上げた。「おなみに徳兵衛は殺せまい。第一、あの部屋には刀も棍棒もなかったぞ」

「旦那。旦那は目利きにゃあなれねえな。ちゃあんとあったぜ、あの部屋ん中に」

瓢六は薄笑いを浮かべた。

「ま、じきに朝だ。朝になりゃあ謎が解ける」

九

弥左衛門と瓢六が大和屋の別宅へ戻ると、寝ずの番をしていた源次が、眠そうに目をこすりながら飛びだして来た。

「変わりはないか」

「知らせを聞いて、店から人が駆けつけて参りやした。不審な点があるといいましても、いつ死んでもおかしくない徳兵衛です。ここはひとつ穏便に済ませてはもらえまいかと、番頭が金子を包んでよこしまして。商いにも支障をきたすから、一刻も早く葬式を出させてもらいたいと頭を下げておりやす」

「番頭が金子を……」弥左衛門は表情をひきしめた。「で、お内儀の様子はどうだ？」

「昨晩はずっと仏に付添っておりやして、さっきちょいと顔を見ましたが、泣き明かしたんでしょう、やつれた顔をしておりやした」

「まだ、仏のそばにいるのか」

「へえ。たった今、掛け軸をしまうよう番頭に……」

徳兵衛の部屋の床の間には正月用の掛け軸がかかっていた。松竹梅に金粉を散らした絵柄に象牙の軸先という華美な掛け軸では、死人の枕辺には不釣合《ふつりあい》である。

源次の言葉を耳にしたとたん、瓢六は血相を変えた。

「おっと。急がねえと、一番の見所を逃《のが》しちまうぜ」

何が何やらわからぬまま、一同は寝間へ走る。

骸のかたわらに、おなみと升吉が突っ立っていた。目をみはり、唇をわななかせている。二人は、足元の裏表になった掛け軸を凝視していた。

壁からはずし、巻き上げようとしたところで、升吉の手からすべり落ちたのだろう、くっきりと墨文字が浮き上がっている。

大和屋六代目松吉見参――

そこにはそう、書かれていた。

混乱の最中、人のいない隙を盗んでだれかが書いたものらしい。

「いったい、だれがかような……」

弥左衛門が目をむくと、瓢六は首をすくめた。

「おいらが、書いたのさ」

十

正月の華やぎも遠のいた、一月下旬の穏やかな朝である。

「旦那、あの人はどうなるんです。手柄を立てたんですよ。無罪放免、牢から出してもらえるんじゃなかったんですか」

お袖はすっぽんのように、弥左衛門の袖を握りしめていた。

「うむ、まァ、そのつもりではおるのだが……」

弥左衛門は救いを求めるように、あたりを見まわした。

奉行所はこの時刻、人の出入りが激しい。上役や同僚が目を逸らせ、あるいは忍び笑いをしながら通りすぎてゆくたびに、弥左衛門の額から汗が噴きだした。なかには、お袖の派手な恰好に目をやり、朝っぱらからなにごとかと苦々しげに顔をしかめて行く者もいる。

「ねえったらねえ」お袖は人の目など気にもかけなかった。「あんまりじゃないですか。あの人を帰してくださいよォ」

とんだ災難である。だが災難はそれだけではなかった。

――いったい、どういう了見なのです。あれほどいい置いたのに、すっぽかすとは。この始末、どうするおつもりですか。わたくしはもう知りませんよ。

ごたごたの最中、姉の政江が怒鳴り込んで来た。正月十日のあの夜、大和屋の別宅の庭でふるえていた時分、賄い組頭の家で見合いする手筈になっていたとは……弥左衛門は思いもよらなかった。

さんざん油をしぼられた上に、

「これで頭が上がらなくなりました。丁重に、くれぐれも丁重に、お詫びするのです。よろしいですね」

日時をあらため、挨拶に出向けと居丈高《いたけだか》にいって、政江は帰って行った。

やれやれとため息をついたところへ今度はお袖である。正月早々、踏んだり蹴ったりとはこのことだと弥左衛門はくさったが、ともあれ、事件が落着したのはめでたいことにちがいはなかった。

おみち殺しの下手人、大和屋の番頭・升吉はお縄になった。おなみも、重病人の鳩尾を掛け軸の軸木、それも軸先が象牙でできたもので突き、窒息死させた亭主殺しの罪で捕まった。瓢六の働きで、作次郎はお縄を解かれた。

弥左衛門は蛤町の裏店を訪ねて伊助を見舞い、事件の経過を報告したが、おみちが夜鷹をしていたことは、むろん、おくびにも出さなかった。

「すまなかった、伊助」弥左衛門は破れ畳に手をついて詫びた。「こんなことになっていると知っていたら、おれもなんとか……」

だが、そのあとの言葉は出てこなかった。薄給の、世渡りの下手な同心に、どれほどのことがしてやれたというのか。伊助は心の臓を病んでいる。高価な薬を得るために、おみちは夜鷹に身を堕とした。きれいごとをいうほど、生きてゆくのは楽ではない。

煎餅布団の上に半身を起こして、伊助は背を丸めていた。あらかた抜け落ちた白髪頭をうなだれ、涙を堪えている老人は、ほんの数年前まで十手を預かり、肩で風を切って歩いていた伊助とは別人だった。

木箱の上に置いた位牌に線香を供えて合掌する。暇《いとま》を告げると、伊助ははじめて顔を上げた。

「あんなことになる数日前でしたっけ。あの子はいい仕事が見つかったといって、これからはお父っつぁんを楽にしてやれるとそりゃあうれしそうで……。あいつは……あっしにゃもったいない、孝行娘でした」

菅野は伊助に見舞金を届けた。それには弥左衛門や源次の心尽くしの銭も添えられていたが、そんなものより、かつての仲間連中が駆けまわって、盛大におみちの葬儀を営んでやったことが、伊助にとっては慰めになったようである。

瓢六は牢へ戻った。解き放たれたときと同じように、戻る際も淡々とした顔をしていた。

「欲しいものがあれば、遠慮なく申せ」

弥左衛門が声をかけると、瓢六はにっと笑った。

「ときにはよ、娑婆と地獄をとっかえるのもおつなもんだぜ」

逃げようと思えばいくらでも機会はあったはずなのに、瓢六は逃げなかった。手柄を申し立てもしなければ、裁きの軽減を願いもしなかった。すたすたと歩いてゆく後ろ姿を見て、弥左衛門は内心おどろいていた。瓢六に、親しみ、ともいえる感情を抱いている自分に気づいたからである。

瓢六が今回のことをなんと思っているのか、弥左衛門にはさっぱりわからなかった。お袖は憤慨しているが、弥左衛門が見るところ、瓢六は牢へ戻ることを、さほど嫌がってはいないようだ。実際、昔からの友達に逢いに行くかのような、気安げな足どりだった。

「ちょいと旦那、旦那で埒があかないんなら、あく人を連れて来てくださいな。それでなけりゃあ、お奉行さまに訴え出たっていいんだ。冬木町のお袖はね、奉行所の旦那方なんか怖くもなんともありゃしないのさ」

「わかったわかった。なんとか話してみるゆえ、とにかくその手を放してくれ」

「いやですよ。六さんがどうなるか教えてもらうまでは、放してなんかやるもんか」

弥左衛門はため息をついた。

瓢六がどうなるか、教えてやりたくてもやれない。裁きの場に引きだされれば、情状酌量となるのは間違いないが、肝心の裁きがいつあるかということになると皆目わからなかった。

昨日、弥左衛門は菅野に呼ばれた。菅野は上機嫌だった。

――瓢六という男、手放すのは惜しい。先日、皆の者とも話し合ったのだが、しばらくあやつをあのままに……つまり、ま、吟味にゆるりと時をかけ、白州に引きだす日をできるかぎり引き延ばすようにと……よいな、篠崎。

なんと、瓢六の知恵をこれからも借りようというのだ。弥左衛門はあっけにとられた。

だが、上役の命令は絶対である。

なおも揉み合っていると、粕谷平太郎が通りかかった。

粕谷にはおおかたの経緯を話してある。粕谷は芸者にからまれている同僚を見て失笑したものの、門をくぐりかけて、ふと足を止めた。友を見捨てるのはしのびないと思いなおしたのか、二人のところへ引き返して来る。

「瓢六のような情夫を持つと気が揉めよう」

お袖は小首を傾げ、粕谷の顔を見返した。

「気が揉めるって、なんのことですか」

「あやつ、女が放っておかぬと見える。例の大和屋、あそこの女中が瓢六に惚れ込んでしまったそうな。毎日のように、牢から出してくれと泣きついておる。それからほれ、作次郎の隣家の娘、あの娘は以前から顔見知りだとか。牢から出たら、一緒になりたいと待っているそうな。瓢六もまんざらではなさそうな顔をしておったぞ」

お袖はきりりと眉をつり上げた。つかんでいた袖を放して、

「あの人ときたら……牢の中で頭を冷やすがいいや」

褄《つま》をとり、下駄を鳴らして勢いよく踵を返した。

挨拶もそこそこに帰ってゆくお袖を、弥左衛門は気力の失せた顔で見送った。

瓢六もお袖も、何があってもへこたれぬところは、とうてい自分の相手ではない。い

や、一番の上手《うわて》はその二人を利用した菅野さまかもしれぬ――。
吐息をもらし、粕谷にうながされて門をくぐる。
詰所へ急ぐ弥左衛門の肩に、在りし日のおみちの幻か、白梅の花びらが舞い落ちた。

ギヤマンの花

一

むさくるしい牢獄に花の香は似合わない。

はっくしょんとくしゃみをして、瓢六は辛夷《こぶし》の小枝を放りだした。

花冷えの季節である。火桶のひとつもほしいところだが、牢内での火の扱いは禁じられていた。もっとも、一人のうのうと畳に寝そべる瓢六とちがって、肩がふれ合わんばかりに詰め込まれ、押し合いへし合いしている囚人どもは、お仕着せの浅葱木綿《あさぎもめん》の袷《あわせ》一枚でも寒さなど感じないらしい。ふるえるどころか、汗までかいている。

顔をゆがめ、鼻水をすすり上げたとき、

「兄い、これかい」

しわだらけの小指がひょいと目の前に突きだされた。視線を上げると、年老いた囚人があぐらをかいた鼻の頭に玉の汗を浮かべて、にやにや笑っている。

「おう、ちょぼくれか」

「お袖、とかいう……」

「まあな。逢いてえ逢いてえと、洪水のように文をよこしやがる」

瓢六はまんざらでもなさそうな顔で、小鼻をうごめかした。

「小枝に結び文たァ泣かせるねえ。そういやァ兄いは光源氏、いや、世之介《よのすけ》の生まれ変わりじゃあねえのかい」

　世之介とは浮世の介。井原西鶴が書いた「好色一代男」の主人公で、ひたすら色道に励み、遊里という遊里を経巡《へめぐ》って三千数百の女と情を交わしたあげく、さらなる色道を究めるために伝説の国、女護ケ島《にょごがしま》へ船出したという色男である。

「へっ、世之介なら、こんな野郎ばかしのけちなとこなんかにいるもんか」

「ちげえねえ。今頃は女護ケ島できれいどころに囲まれて鼻の下のばしてる頃だわな。へへ、そんな島があるなら、あっしも行ってみてえや。好色丸《よしいろまる》に乗り込んでよ。船酔いなんざ、へともしねえ」

　老囚はいつもながらの早口でまくしたてた。

　この男、本名を太兵衛《たへえ》という。囚人仲間からは「ちょぼくれ」と呼ばれていた。ちょぼくれとは、割った竹に数個の一文銭を挟んで鳴らしながら歩く願人《がんにん》坊主のことで、太兵衛の早口と芝居かかった物言いは、ちょぼくれ坊主の口吻に似ていた。小鼠を思わせる体つきもちょぼくれという語感にぴったりである。

　ちょぼくれは坊主ではない。まばらな白髪を寄せ集めて町人髷《まげ》を結っている。年齢は不詳。生業《なりわい》は鍛冶屋、鋳掛屋、彫金師と、訊ねるたびに変わる。手癖が悪く、お縄になったのはこれがはじめてではなかった。右肘に、前科者の印の二本の入れ墨がある。

　辛夷の枝を拾い上げ、ちょぼくれは大仰に香を嗅いだ。鼻以外は目も口も耳も小さい。しわ深い赤銅色の顔にふっと生真面目な表情が浮かんだ。

「こいつを嗅ぐと惚れた女を思いだす。ろくでもねえすれっからしだが、いい匂いのする女だった。辛夷の匂いのする女は根っからの男好きだってェから、兄いも気ィつけたがいいぜ。あっしもよ、そいつに惚れ込んで、いわれるままに盗みをした。それがはじめで、ずるずる深みにはまっちまった」

ちょぼくれはぽんとふところを叩いた。

「その女にくれてやろうと、やっとこさ手に入れたお宝がここにある。後生大事に持ってるたァ、男ってなァたあいのねえもんだな。おっと、こいつは盗んだもんじゃあねえよ。鍛冶屋で一緒に働いていた野郎が、硝子《ガラス》屋に鞍替えしちまった。そいつに頼んで作ってもらったのさ。ところが手に入れたときにゃあ、女は別の男と……」

ちょぼくれが失恋のくだりをはじめようとしたとき、くぐり戸の付近でざわめきが聞こえた。

二人は同時に目をやる。鍵役同心を筆頭に、牢屋同心が数人、昨日入牢したばかりの囚人を連れ出そうとしていた。

囚人の名は平吉という。ちょぼくれは平吉のほうへ顎《あご》をしゃくった。

「妙ちきりんな野郎さね、盗んだお宝を川にほかしちまうたァ」

その話は瓢六も聞いていた。

平吉は日本橋本石町三丁目の旅籠《はたご》、「長崎屋」の手代で、蔵からギヤマンの酒器を盗んだという。盗んだものの怖くなって川へ投げ捨てた——と、これは平吉の供述だ。

「盗んどいて捨てる馬鹿がいるもんか。大方、色女にでもくれてやったんだろうよ」

瓢六が肩をすくめると、ちょぼくれはちらりと牢名主を見上げた。

「名主から聞いたところじゃぁ、他にもとっつかまった野郎がいて、そいつも、盗んだことは盗んだがどっかになくしちまったとほざいてるそうだぜ」

　牢名主の雷蔵は力士くずれの大男である。下界の囚人どもなど目に入らぬかのように、九枚重ねた畳の上に寝ころんで瞑想にふけっていた。

　鍵役が大牢の扉を閉め、錠を下ろした。後ろ手に縄をかけられた平吉を囲むように、牢屋同心がぞろぞろと去ってゆく。

と、そのとき、殿《しんがり》の一人が足を止め、瓢六を見た。

　ごつい体にのっかった四角い顔。北町奉行所の定廻り同心・篠崎弥左衛門である。

するってェと、この一件にもあいつがからんでるのか――。

弥左衛門は眸を凝らしている。牢内は薄暗い。瓢六の姿は見つけても、表情までは読み取れないようだ。

　瓢六はついと手をのばして、ちょぼくれの手から辛夷の枝を取り上げた。勢いよく放り投げる。辛夷は白い弧を描いて囚人たちの頭上をよぎり、弥左衛門の目の前の格子に当たってこつんと音をたてた。薄闇に花びらが舞い散る。

　弥左衛門は目をみはった。瓢六が自分に気づいたとわかると、ためらいがちに、いかめしい唇をほころばせる。が、それも一瞬。牢屋同心のあとを追いかけ、去って行った。

　相も変わらず、ご苦労なこった――。

　瓢六はにやりとした。

昨秋、瓢六は博打でお縄になった。当時、商家や寺社、武家屋敷が強請《ゆすり》まがいの被害に遭う事件が多発していた。事件にかかわりありと見て瓢六を追いかけていた弥左衛門は、捕縛と聞いて小躍りした。だんまりを決め込む瓢六と余罪を吐きださせようとする弥左衛門——両者の攻防はけりがつかず、瓢六はさらなる吟味を受けるため、小伝馬町の大牢へ押し込められた。

ところが、その二人がひょんなことから手を携えて難事件を解決したのはこの正月。瓢六の手際に惚れ込んだ菅野が、

「手放すは惜しい。吟味を引き延ばせ」

と命じたために、あれから二月も経つのに瓢六はまだ牢に押し込められている。

「それにしてもとんまな野郎だぜ。盗品をほかしたんなら、知らぬ存ぜぬで通しゃあいいのによ。なにも好きこのんで、こんな地獄へ来ねえでも……」

ちょぼくれはなおも平吉を肴にまくしたてた。

瓢六はおざなりに相槌を打つ。打ちながら、牢屋同心に引き立てられてゆく平吉の思い詰めた顔を思いだしていた。

二

「例の平吉だが……」

弥左衛門が膝行するのを待って、菅野一之助は切りだした。

与力番所は奉行所の玄関を入ってすぐの右手にある。火桶を囲んでいた数人の与力がぷつりと話を止め、二人の会話に聞き耳をたてた。

「相変わらず盗んだのは自分だと申し立てておるのか」

聞かれて困る話ではない。菅野は明朗な口調でいうと、つかみどころのないまなざしを部下に向けた。

この目が曲者《くせもの》だ、と、弥左衛門は表情をひきしめた。

色白細面の品のよい顔だちに似合わず、菅野はときおり突拍子もない考えをひねりだす。瓢六を大牢から解き放ち、下手人を捕らえさせろといいだしたときのおどろきは、まだ記憶に新しい。

「はあ」弥左衛門は慎重にうなずいた。「どう責めたてても同じことを申すだけで……。地廻りどもに心当たりを虱《しらみ》つぶしに探索させましたが、ギヤマンはございません」

「川へ捨てた、さよう申しておるのだな」

「捨てたなら口を閉ざしておればよいものを、なにゆえ自ら罪を認めるのか、そこのところがどうにも腑に落ちません」

弥左衛門が首を傾げると、菅野はくしゅんと品のよいくしゃみをした。

「それにしても妙なことがあるものよの、盗品ひとつに盗人が二人おるとは」

平吉は蔵から出て来たところを客の一人に見られていた。罪はあっさり認めたものの、盗品については二転三転、結局は川へ捨てたという。どうも怪しい。

そこであらためて聞き込みをしたところ、事件当夜、蔵のまわりを怪しい浪人者がうろついていたとの話が舞い込んだ。早速地廻りに調べさせると、浪人は亀井新三郎という男であることがわかった。新三郎は長崎屋の女中おきぬの夫で、堀江町の裏店に住んでいる。酒癖が悪く、界隈の鼻つまみ者だった。

念のため番所へ呼びだして問いただした。するとおどろいたことに、新三郎も自分がギヤマンを盗んだといいだした。酔った勢いで盗んだものの、へたに売れば足がつく。近くの稲荷神社の境内に埋め、翌日様子を見に行くとなくなっていた——新三郎はそう申し立てた。

武士《さむらい》の仕置きは目付の役目だ。目付の吟味を受けた上で、新三郎は目下、小伝馬牢の揚屋《あがりや》に収監されている。揚屋は武士や僧侶を入れる牢である。

「いずれかが嘘をついている、ということでしょう」

弥左衛門がしたり顔でいうと、萱野の眸が強い光を放った。

「双方が嘘をついている、ということもある」

「なんと?」

問い返した拍子に、ふわっくしょいと、褄が吹っ飛びそうなくしゃみをする。

「まあ、よい」萱野は苦笑した。「ともあれ早急に犯人を見つけ、ギヤマンを取り戻すのだ。カピタンのお気に入りの品だ。盗まれたでは済まぬ」

カピタンとは、長崎にある阿蘭陀商館の館長である。カピタンは四年に一度、書役を伴って江戸へ上り、将軍に拝謁する。拝謁は三月の上旬と定められていた。

今年は参府の年に当たり、カピタン一行は恒例通り二月末に参府して、定宿の長崎屋へ入った。先日、無事拝謁を済ませ、帰路についている。

ギヤマンは硝子細工、ことに酒器類をいう。

戦国末期、長崎へ渡来したポルトガル人が硝子の製法を伝授した。江戸開府百年を経る頃には、長崎の硝子細工師が全国に硝子を広め、さらに六、七十年の歳月を経て、京、大坂、江戸でも硝子を製造するようになった。当初は熱した硝子を吹き竿の先につけて、息を吹き込みながら回転させてふくらませてゆく「宙吹き」と呼ばれる製法で、徳利や瓶など単純なものしかできなかったが、近頃では簡単な細工物も作られるようになっていた。

盗まれたギヤマンはカピタン一行が持ち込んだもので、のちにいう切子《きりこ》、紅色の器に手の込んだ細工を施した逸品である。我が国にはまだ切子を作る技術がなく、江戸では手に入らない。四年後に参府したときもこのギヤマンで酒を供するようにといわれ、長崎屋の主・源《げん》右《え》衛門《もん》は丹念に磨き立てて蔵へしまった。

「今も皆で話しておったのだが、手代が盗人だったと噂が広まれば、長崎屋の沽券《こけん》にかかわる。長崎屋に悪評がたてば、さような旅籠をカピタンの定宿としたお上《かみ》が笑われる。お上が笑われれば、ご老中方が腹を立て、つまるところ、われらがお叱りを受けることになる。これ以上騒ぎが広まらぬよう、迅速にギヤマンを捜しださねばならぬ」

上役のまどろっこしい説明に口をぽかんと開けている配下を尻目に、菅野は悠然と同僚たちの顔を見まわした。一同がうなずくのを見て弥左衛門に視線を戻す。

「そこでだ」といったとき、菅野の眸は躍っていた。「ことは阿蘭陀人にからむ一件でもあり、盗品は南蛮渡来の逸品であるからして……」

弥左衛門は目を瞬《また》いた。盗品がたまたまギヤマンだったというだけだ。阿蘭陀人とは関係あるまいと思ったが、むろん、口に出してはいわなかった。

「平吉と亀井、いずれの申し状が真実か、真偽を正すということとなれば……」

その先はいわれなくてもわかった。与力が額を寄せ合い考え抜いた結論は、瓢六。またもや、あの小悪党の手を借りようというのだ。

奉行所が悪党に頼るとは、まったくもってなさけない——。

弥左衛門は眉をひそめた。が、異は唱えなかった。憤然とした気分は残るものの、前回ほどの衝撃はない。瓢六とは好敵手だ。口に出していったことはなかったが、心の奥底では親しみに似た感情を抱いている。手をたずさえて探索をするのは、気の置けない喧嘩友達と技の競い合いをするようで、なにやら浮き立つものがあった。

「瓢六を解き放つ、そうではありませんか」

機先を制していうと、菅野は意を得たりとうなずいた。

「平吉と亀井はギヤマンを、捨てたの、盗られたの、と申し立てておるが、まことのところはいずれかがどこかに隠しておるはずだ。瓢六は目利き、悪党の勘もある。あやつなら見つけだせるやもしれぬ」

虫のいい話だと思ったが、

「畏《かしこ》まりました」

と、弥左衛門は両手をついた。

奴も出世したものだ――。

与力番所を出るや苦笑を浮かべる。

「婆さんに酒でも買わせておくか」

婆さんとは賄い役の老婆のことだ。弥左衛門は八年前、二十三で妻を娶《めと》ったが、子ができないうちに病死してしまった。御家人に嫁いだ姉は逢うたびにうるさく再婚を勧めているが、目下のところやもめ暮らし。老婆は通いだから、小者の義助がいるだけの殺《さっ》伐《ばっ》とした男所帯である。

弥左衛門がつぶやいたとき、粕谷平太郎が同心詰所から出て来た。詰所は与力番所の隣にある。粕谷は同僚の独り言を聞きとがめた。

「婆さんがどうかしたのか」

「いや。今少し気がまわらぬものかと思っての」

弥左衛門はごまかし、粕谷の羽織についた糸くずをつまみ上げた。

「お内儀はまだ里におるのか」

「義母《はは》の具合が思わしくないのだ」

「慣れぬやもめ暮らしは寂しかろう」

「他人《ひと》のことより、おぬしこそ早く妻女を娶ったらどうだ」

粕谷に切り返され、弥左衛門は顔をしかめた。見廻りに出かけるという粕谷を見送り、詰所へ戻る。

文机に向かって考えた。牢を出て探索を手伝えといったら、瓢六はどんな顔をするだろう。小馬鹿にしたように肩をすくめるか、嬉々としてうなずくか、「そんなことより早く牢から出せ」とつっかかるか。

こいつはやはり、酒が要り用だ——。

正月に瓢六が、牢を出されたときのことだ。役宅に伴うと、あつかましくも酒をねだった。弥左衛門は下戸である。そのときは「ない」と突き放したが、今度機会があったら、酒を飲ませて、身の上話を聞いてみたい。

長崎で地役人をしていた男——古物商「綺羅屋」の息子として生まれ、唐絵目利きとなり、阿蘭陀通詞の見習いを務め、なおかつ蘭医学、天文学、本草学の心得もあるという瓢六が、なぜ江戸へ上り、小悪党になったのか。その訳を、ぜひとも知りたかった。

「何か、良いことでもあったのですか」

後輩の奥野《おくの》裕之《ゆうの》進《しん》に声をかけられ、弥左衛門ははっと目を上げた。

「あるわけがなかろう」

弥左衛門は威厳をとりつくろった。

にやけた顔をしていたつもりはなかったが、瓢六のことを考えているうちに我知らず愉快な気分になっていたらしい。

瓢六はあまのじゃくだ。抜け目なさそうな目。へらず口を叩く唇。世間をなめてかかる薄笑い。小賢しい物言い。だが瓢六には、人の心をつかむ愛嬌があった。強面の囚人どもをなんなく味方につけ、弥左衛門の心までからめとってしまったのだから。

　瓢六がひと声かければ、お江戸八百八町の噂話が牢にいながらにして集まって来るという。瓢六は目利きの目でそれらを選別し、組み立て、推理する。偽物のなかから本物を選りだし、一直線に謎に迫る鋭さは、弥左衛門も目の当たりにしていた。

　それは、瓢六の人を見る目にも如実にあらわれている。生業、役職、風貌、口先の言葉……そうしたもので、瓢六は人を見ない。まっすぐに心のなかへ飛び込み、その人間の本質をつかむ。瓢六の異才は人を瞠目させ、感嘆させるものの、反面、勢い余って周囲の者を騒動に巻き込む不安がついてまわった。

「良い事どころか、今年は新年早々から御難つづきだ」

　うっかりこぼすと、奥野は失笑した。

「そういえば芸者にからまれて立ち往生していましたね」

　芸者とは瓢六の情婦のお袖。手柄をたてたのに、瓢六は牢へ戻された。奉行所へ抗議を申し立てに来たお袖に、運悪くつかまり、弥左衛門はとんだ恥をかいたものである。

　優男の奥野が女のような忍び笑いをするのを見て、弥左衛門は気色ばんだ。

「見廻りに出かける」

　吐き捨てるようにいって腰を上げたときは一転して、毒を食らった蟹のような仏頂面になっていた。

三

瓢六には、がまんのならないことがある。

真偽を曖昧にしておくことだ。

偽物は偽物でいい。この世に本物などそうそうあるものではない。本物だから優れているともいいきれない。偽物を蔑《さげす》む気はなかった。

だが、偽物を本物と偽るのは許せない。他人はどうあれ、騙《だま》されるのはごめんだった。

瓢六は目利きの顔で、平吉と対峙していた。

大牢はいつもながらざわついていた。瓢六と平吉のいる一隅だけが、張り詰めた空気に包まれている。雑踏のかなたには名主の雷蔵がいて、ぼうぼう眉の下の深遠なまなざしで牢内を見渡していた。

「なんで、てめえ、嘘をつくんだ？」

瓢六は訊ねた。

「ついちゃあいません」

平吉は目を逸せた。

平吉は、瓢六と同じ二十六歳だという。上背がある。肩を丸めて顎を突きだす癖があった。顔だちは凡庸で、どことなく間のびして見える。日本橋の大店の手代にしては垢《あか》抜けない。育ち過ぎた子供のようだ。

手荒い吟味を受けたのだろう。善良で曲がったことなどこれっぽっちもできそうにない平吉が全身を痣だらけにしている姿は、折檻《せっかん》された子供のようで痛々しかった。

「ま、いいや。おめえもよ、おんなしことばかし訊かれて、嫌になってるにちげえねえ。おめえが盗んだ、そういうことにしておくさ」

平吉が唇を嚙みしめるのを見て、瓢六はごろりと横になった。床に肘をついて平吉を見上げる。

「おいらはよ、長崎で生まれたんだ」

「………」

「おぎゃあと生まれて最初につかったのが、ギヤマンのたらいだ。おっぱい代わりにビイドロくわえてたってなもんでよ。ギヤマンのことなら、ちょいとばかし詳しい。紅の切子ってなァよ、恐ろしいもんだぜ。慣れねえ奴がうっかり紅いとこにさわると……」

瓢六は空いているほうの片手を突きだし、ひゅっと引っ込めた。耳たぶをつまむ。「指が焼けちまう。おめえも火傷《やけど》、したんじゃねえか」

唐突に訊かれて、平吉はぎくりとした。無意識に両手の指をすり合わせる。

「なぜだか教えてやろうか。ギヤマンってのはな、火を吹いて作るんだ。つまりよ、あん中には炎が閉じ込められてるのさ。おめえ、川へ放るとき火の粉が飛び散るのを見たろ」

「……へ、へえ」

「花火みてえにぱあっとこう、燃え上がったろ」

「そういえば……」

ギヤマンにふれて火傷をするはずがない。ギヤマンが火を噴くはずがない。平吉はギヤマンにはふれたことがないのだ。

平吉は火傷した。ギヤマンではなく、もっと熱いものにふれたために……。

「さてと。ねぐらでひと眠りするか」瓢六はむくりと体を起こした。「むきだしの板床は背中が痛くてかなわねえや」

平吉は一瞬、引き止めたそうな素振りを見せた。が、自分の気持ちに抗うように顔を背けた。

「ま、仲良くやろうぜ」瓢六は人なつこい笑みを浮かべていうと、ひらひらと片手を振った。「安心しな。ここは野郎ばかしだ。ここなら火傷の心配はねえや」

四

弥左衛門は、苦虫を嚙みつぶしたような顔で舟を降りた。

数日来の寒さが嘘のようなぽかぽか陽気である。まさに春爛漫《らんまん》といったところだ。

かような午後に、行きたくもないところへ行かねばならぬとは——。

とんだ災難だと思うと、ますます腹が立つ。神田川の水面が光りさざめく様までが、ぶざまな立場に追い込まれた男をあざ笑っているようでいまいましい。

賄い方の組屋敷は小日向台町にあった。弥左衛門の住まいのある八丁堀とは、江戸城を挟んで西北と東南だ。徒歩なら、弥左衛門の足でも半日かかる道のりである。

姉の夫の沢田与兵次は賄い方を務め、小日向の組屋敷に百坪ほどの住まいを拝領していた。禄高七十俵。一男三女がいる。

姉の政江は距離の隔たりなどものともしなかった。しょっちゅう八丁堀まで出向いては弟の世話を焼く。弥左衛門をそっくり女にしたような骨太の逞しい体つきはそれだけで威圧感があるのに、高飛車な物言いと押しつけがましい態度で弟を辟易させていた。

この日、弥左衛門が訪ねようとしているのは、姉の家ではなかった。賄い方組頭・後藤忠右衛門の屋敷だ。政江は勝手に弥左衛門と後藤家の息女・八重との縁談を進め、正月に見合いの手筈を整えた。大捕物の最中だった弥左衛門は見合いをすっぽかし、姉の怒りを買った。さんざん油をしぼられた上に、

「丁重に、くれぐれも丁重に、お詫びするのです。よろしいですね」

と、しつこく念を押された。

奉行所の同心は薄給のわりに多忙である。詫びに行けといわれても行く暇がない。放っておいたところが、またもや姉が怒鳴り込んで来た。

「ともかく、このままでは八重さまにご無礼です。一日も早く詫びに行ってもらわねば、我が主殿《あるじ》の顔もたちません。そなたは沢田の家に泥を塗るおつもりですか」

「滅相《めっそう》もありません。このところ御用繁多にて身動きがならず……」

弥左衛門が口ごもるのを見て、政江は一喝《いっかつ》した。

「いい訳は無用。ただちにお行きなされ」

明日は瓢六を牢から解き放つ日。しばらく動きがとれなくなることを見越して、やむなく久々の休みを返上することにした、という次第。

八重どの、か——。

大日坂を北へ歩きながら、弥左衛門は鼻を鳴らした。

名はしおらしい。が、姉の見立てた娘なら、さぞや気丈で多弁な女にちがいない。

どのみち、後藤家の息女を嫁にもらう気はなかった。作法にうるさい家だと聞いて怖じ気づいたこともあるが、義兄の上役の娘というのが気に食わなかった。姉の選んだ女を娶ればこれまで以上に世話を焼かれる。それだけはなんとしても避けたい。

八重は二十二で、一度も嫁したことがないという。そのことも胡散臭く思えた。よほどの醜女《しこめ》か、選り好みのはげしいわがまま娘か。

すっぽかして、かえって救われたのやもしれぬ——。

嫌なことはさっさと済ませてしまおうと、弥左衛門は足を速めた。

しばらく歩くと、組屋敷に出た。似たような家が並ぶ大縄地である。班によって区画が分かれており、後藤家は手前から二つ目の区画内にあった。

組頭を務める後藤家は禄高九十俵。役料の差もあり、屋敷は姉の家の倍ほどの広さがある。といっても同じ御家人だから、家の造りは似たようなものだ。門は木戸門で、門番はいない。くぐり戸を押して中へ入ると、門にぶら下げた徳利が上がる。手を放すと徳利が戸にぶつかって音がする。それで来客を知らせるという。門番の賃金を節約するために考案された仕組みも同様である。

弥左衛門は木戸をくぐったところで、あたりを見まわした。

前庭には塵ひとつなかった。門の脇に植えられた松も、右手の一劃に並んだつつじや馬酔木《あしび》などの低木も、きちんと枝が刈り込まれ、手入れが行き届いている。松の隣に、裏庭につづく木戸があった。木戸越しに桜木が見える。六分咲きといったところか。

前庭をぬけ、玄関に足を踏み入れた。

大声で訪なうと、小者が出て来て丁重に名を問うた。名を告げる。小者は一旦引っ込み、戻って来て、弥左衛門をとっつきの座敷へ案内した。「しばらくお待ちください」と挨拶をして退がる。

弥左衛門は懐紙で額の汗を拭った。道々考えた謝罪の言葉を反芻《はんすう》しながら待っていると、突然、大声がした。

「沢田与兵次どのの義弟とはそこもとか」

賄い方にしておくのは惜しいような偉丈夫がつかつかと入って来て、上座へ腰を下ろした。当主の後藤忠右衛門である。忠右衛門は、弥左衛門に勝るとも劣らぬ仏頂面で、ねめつけるように娘婿候補を観察した。

「奉行所同心、篠崎弥左衛門にござる。先頃は急な取り込みごとが出来《しゅったい》いたし、ご無礼を仕《つかまつ》った。なにとぞお許し願いたい」

単刀直入にいって、弥左衛門は畳に両手をついた。

「その段については、沢田どのからご事情をうかごうた。なにごともお役目第一、いたしかたござらぬ。それより、なにゆえ今頃になって詫びに参られた?」

弥左衛門は目を白黒させた。

なにゆえ、と訊かれても応えようがない。姉がうるさくいうのでしぶしぶ出向いたとはいえない。姉にしてみれば、弟の失態で夫に迷惑がかかってはと気をまわしたのだろうが、姉に踊らされ、今頃のこのこ詫びにやって来るとはたしかに間が抜けていた。

弥左衛門が当惑していると、忠右衛門はわざとらしく空咳をした。

「今さら話を蒸し返そうというのは、ちと虫がよすぎるとは思わぬか」

「は?」

「すぐに飛んで来たならともかく、二月も放っておいた上であらためて見合いをしたいとは、勝手な物言いだと申しておる」

弥左衛門はあっけにとられた。とんだ誤解である。こちらこそ、見合い話を蒸し返されては一大事だ。焦る余り、

「いいや。さようなことを申すために参ったのではありません。見合いなど、とんでもない。それがし、はじめからご息女を娶る気などありませなんだ」

うっかり本音をもらしたところで、はっと気づく。が、遅かった。忠右衛門は憤然とした顔で、弥左衛門をにらみつけていた。

「ほう。娶る気もないのに見合いを承諾するとはどういう了簡か、うかがおうではないか」

こんなとき瓢六なら、愛嬌のある笑顔と得意の弁舌で煙にまくことができたかもしれない。だが弥左衛門にそんな芸当はできなかった。追い詰められたためにますますうろたえ、本音が出てしまった。

「実はその、姉がうるさく申すゆえ……」

「沢田どのの奥方に勧められ、いやいや見合いを承知したといわれるか」

「いや。さようなわけでは……」

「八重は掌中の珠だ。人見知りのはげしい娘ゆえ、よくよく相手の人柄を見てからと選り好みしておるうちに婚期を逸してしもうた。だが、あれは、どこへ出したとて恥ずかしくない娘だ。それを、それを、いうに事欠いて……」

忠右衛門の膝に置いた手がふるえているのを見て、弥左衛門は狼狽《ろうばい》した。

「なにも、ご息女がどうこう、さようなつもりで申したのではありません」

「ではなんだ？　よいか。そもそも、この見合いはの、わしのほうこそ気が乗らなかったのだ。それを沢田どのがぜひにと申されるゆえ、いたしかたなく……」

「姉は先走りするところがありまして」

なだめようとしたが、忠右衛門は聞く耳を持たなかった。

「だいたい、後妻、というのが気に入らぬ。それも八丁堀というではないか」いまいましげに鼻を鳴らして、「生真面目で浮いたところのない男と聞いたゆえ、会うて見る気になったが、なにも好き好んで不浄……」

いいかけて、さすがに忠右衛門は口をつぐんだ。

町奉行所や牢屋敷の役人は罪人を扱う。そのため、一般の武士から不浄役人と蔑まれている。

忠右衛門がいおうとした言葉に気づいて、弥左衛門の頭にかっと血が上った。

「今、なんといわれた？　不浄役人が嫌なら、見合いなどはじめから断わればよいではないか。選り好みとやらいいながら、嫁《い》き遅れた娘を押しつけようとの肚《はら》でござろう」

「なんだと。もう一度いってみろ」

「それがしこそ、さような娘を押しつけられるのは御免こうむる。今日参ったは、詫びかたがたきっぱり断わりを申すためにござる」

「ええい、無礼な。おぬしの顔など見たくない。帰れ」

「いわれなくても帰りまする」

ごめん、と、一礼して、弥左衛門は席を立った。玄関へ出ると、小者があわてて草履を持って来た。

「お帰りにございますか」

「うむ」

弥左衛門の顔に怒りの片鱗《へんりん》が貼りついているを見て、小者は身をちぢめた。

勢いよく門を押し開け、表へ飛びだす。背後で徳利が間の抜けた音をたてた。

ようやく怒りが鎮まったのは、辻を曲がって後藤家が見えなくなってからである。この顚末《てんまつ》を知ったら、姉はさぞや激怒するにちがいない。それを思うとうんざりしたが、ともかく詫びを済ませただけでもよしとしなければならなかった。どのみち明日からは多忙になる。姉の愚痴を聞いている暇はない。

沢田家の者に出会う煩わしさを避けるため、弥左衛門の足は自ずと早足になっていた。姪っ子甥っ子は可愛い。せっかくここまで来たのだから、顔を見て行きたい気もしたが、今日のところは、触らぬ神に祟りなし、である。

大日坂に出る手前に、板塀の傾いた家があった。組屋敷のなかの一軒で、空家になっているらしい。通り過ぎようとして、弥左衛門は足を止めた。塀の向こうで人の気配がする。子供が入り込んで遊んでいるのか。それにしてははしゃぎ声もしなければ、騒々しい足音もしない。

板塀に節穴を見つけて中を覗く。

女がいた。松葉色の小袖に黒繻子の帯を吉弥《きちや》結びにしめている。いでたちは地味だが、それがかえって若さをひきたてていた。やさしげな目鼻だち。髪は島田。眉を剃っていないから、未婚であることはまちがいない。なにげない仕種に少女のような可憐さが匂っている。

女は花に止まった蝶をつかまえようとしていた。まくれた袖からのぞく二の腕の白さがなまめかしい。女の真剣なまなざしに、弥左衛門は思わず引き込まれた。息を詰めて見つめていると、女はぱっと手をのばし、蝶を捕らえた。うれしそうに白い歯を見せて笑う。と、惜しげもなく、空へ向かって解き放った。

汚れのない天女を見たようで、弥左衛門の胸は騒いだ。生まれてはじめてのときめきである。

いずこの娘か――。

立ち去りがたい思いでなおも覗いていると、

「お嬢さま。どこにいらっしゃるのです?」

往来で呼び声が聞こえた。

弥左衛門はあわてて姿勢を正した。と同時に、足元でがさごそ音がして板がはずれた。もともと壊れていたのを立てかけてあったのだ。そこから、かがみ腰になって女が這いだして来た。飛びのいた弥左衛門と視線が出会うと、女は真っ赤になった。

「あ、いや、その、手前は通りすがりの……」

弥左衛門はその場を取りつくろおうとした。

女は袖で顔を隠し、小走りに駆けだした。そのとき路地から年増の女中があらわれた。はっと立ち止まる。女を庇うように抱きかかえ、弥左衛門をきっとにらみつけた。

「あの者がなんぞ?」

「いえ。なんでもありません」

女は蚊の鳴くような声で応えると、顔を覆ったまま女中の陰に身を隠した。

女中は胡散臭そうな目で弥左衛門を眺めている。弁明をしたい、名を訊ねたいと思ったが、口を開く前に女中の声が耳を打った。

「八重さま、さ、参りましょう。旦那さまがお探しですよ」

弥左衛門は凍りついた。

では、これが後藤家の息女か――。

足早に去ってゆく女たちを呆然と見送る。

八丁堀へ帰る道々、弥左衛門の脳裏には八重の白い顔がちらついていた。

女に見とれたのは、生まれてはじめてである。天女のようだと胸をときめかせた女が、つい今しがた大喧嘩をした男の娘だったとは！　しかも、弥左衛門は八重との見合いをすっぽかしたばかりか、縁談をきっぱり断わっていた。

なんという間の悪さかと、弥左衛門はため息をついた。うっかり見合いを忘れたばかりに、幸運を逃してしまった。見合いを忘れたのは瓢六に振りまわされていたからである。そう思うと、瓢六が恨めしい。

明日は、その瓢六を娑婆へ解き放つ日。またもや厄介事が起こりそうな予感がする。

「おれはあやつとはちがうぞ。女のことなど考えて、鼻の下を伸ばしていられるか」

口に出して強がりをいってみた。が、八重の面影は消えそうにない。

五

「ここに置いてあったのです」

肥えた体をゆすり上げ、源右衛門は爪先立ちになった。棚の一カ所を指し示す。

「まさか、むきだしだったわけではなかろう」

カピタン専用の高価なギヤマンである。

弥左衛門が訊ねると、源右衛門はうなずいた。

「こちらの小箱に入っておりました。本来は四年に一度しか使わぬ品、あちらの奥の鍵のかかる棚に納めるのですが、もう一度、丹念に磨いてからしまうつもりで、とりあえずここに置いたのです」

「蔵の錠はかかっておったのだな」

「はい。この手でかけました」

「だが平吉は蔵から出て来た」

「蔵の鍵は帳場にあります。奉公人ならだれでも持ちだせます」

長崎屋は旅籠だ。蔵には普段使わない食器や季節はずれの調度が保管されている。高価な品は鍵つきの棚に納められたごく一部で、それ以外は客間で使うそこそこの品だ。主の許可を得なくても、奉公人が必要に応じて出し入れできるようになっていた。

「それに奉公人でなくても、忍び込もうと思えばできないことはありません」

源右衛門は顔色をうかがうようにいうと、明かり取りの窓を見上げた。長崎屋の主の立場からいえば、盗人は手代の平吉より酔どれの浪人者であってほしいと願うのは当然だった。身内に盗人がいたとなれば、店の評判に響く。

「できぬことはないが、小僧ならともかく、大の大人ではのう……」

窓を見上げ、弥左衛門は首をかしげた。ふっと思いついたように、瓢六を見る。

瓢六は、弥左衛門と源右衛門の間の床にぺたりと座り込んでいた。異様な恰好だ。礼を失している。おまけに二人のやりとりなどどこ吹く風、一心に土床を見つめていた。

「後で試してみよ」

瓢六は「へ？」と目を上げた。いぶかしげに弥左衛門の顔を見返す。

弥左衛門は声を荒らげた。

「明かり取りの話をしているのだ。おぬし、さっきから何をしておるのだ」

瓢六はわざとらしく顔をしかめた。

「ここんとこ朝から晩まで、狭っ苦しいとこに閉じ込められていたんでよ。足がなまって動けねえのさ」

「お、おい」

弥左衛門は狼狽した。

瓢六は、長崎から来た商人という触れ込みで、長崎屋に滞在している。源右衛門だけは弥左衛門の手下だと承知しているが、むろん瓢六の素性までは知らなかった。由緒ある旅籠に大牢の囚人が泊まっていると知ったら、源右衛門は泡を吹いて卒倒しかねない。

弥左衛門の狼狽を余所《よそ》に、瓢六はよっこらせと腰を上げた。

「明かり取りなら試すまでもねえや。まちげえなく尻がつっかえる」

「なんだ。聞こえていたなら聞こえていたと先にいわぬか」

弥左衛門が眉をつり上げると、瓢六は小馬鹿にしたような薄笑いを浮かべた。

「目は見るもの、耳は聞くもの。おいらは旦那とはちがう。見なくたって聞こえてらあ」

「口のへらぬ奴め」

いちいち相手にしていても埒があかない。弥左衛門は舌打ちをして、源右衛門に向き直った。

「平吉だが、今一度、責めにかけるしかあるまい。その前に、平吉が蔵から出るところを見たという客をここへ呼んでくれ」

「畏まりました」

源右衛門はため息をつき、蔵から出てゆく。

「そんならおいらも」

瓢六もあとへつづこうとした。

「待て。今、平吉を見たという奴が来る。もう一度、話を聞いてみよう」

「時間の無駄だ」瓢六はこともなげに応えた。「犯人は平吉じゃねえ」

「おいおい。たった今、おぬし、明かり取りの窓からは入れないといったではないか」

「ああ、いった」

「だったら浪人ではなく平吉……。おい。待てといったら。どこへ行くのだ」

瓢六は振り向こうともしなかった。

「決まってらあ。まずは湯屋。それから女に逢いに行くのさ」

六

十日ほど前、弥左衛門から「娑婆へ出てギヤマンを探せ」といわれたとき、瓢六は耳を疑った。

奉行所にはしかつめらしい顔をした役人どもがわんさといる。手下として働く岡っ引もいた。それなのになぜ、牢暮らしの自分に探索をさせるのか。

よほど能無しぞろいにちげえねえ——。

おどろきが鎮まると、腹の底から笑いが湧いた。

弥左衛門は威厳をとりつくろおうと四苦八苦している。

弥左衛門をからかうのは痛快だ。からかうだけからかって、仕事が終わったら一緒に酒を酌み交わすというのも一興である。

いや、あいつは下戸だから白湯か。色気がねえな——。

瓢六は笑いを堪え、二つ返事でうなずいた。

話が決まると、瓢六は早速、行動を開始した。牢は噂の宝庫だ。四人の知識を結集すれば、奉行所の役人など相手ではない。潤沢な銭があれば、居ながらにして娑婆の人間を動かすことさえできる。

長崎屋の内情は、長崎屋に出入りしていたという商人から聞きだした。博打でお縄になった蓑助《みのすけ》という囚人だ。おきぬと亀井新三郎のことは、堀江町界隈で商いをしていた触れ売りが詳しかった。巾着切でお縄になった作蔵《さくぞう》という男である。

作蔵によると、亀井夫婦の評判はさんざんだったという。職にあぶれた飲んだくれの亭主と、身持ちの悪い女の取り合わせだ。裏店の女たちは、女房が男狂いだから亭主が飲んだくれになるのだと、おきぬをこき下ろしていたというが、

「亭主があれじゃあよ、女房が男を引き込むのも無理はねえ」

作蔵はおきぬをかばった。作蔵もおきぬに誘われた口らしい。

牢を解き放たれたとき、下調べはあらかた済んでいた。

瓢六は長崎屋に腰を据え、弥左衛門の監視下で探索をはじめた。本来なら何を差し置いてもお袖の家へすっ飛んで行くところだ。だが前回手痛い目に遭っている弥左衛門は、

「事件が解決するまでは逢ってはならぬ」と厳命していた。

「手分けしようぜ。旦那は平吉。おいらは亀井ってェ浪人を調べる。どうだい」

「逃げようなどと思うなよ」

「けッ。おいらはそれほどとんまじゃねえや」

探索がはじまって四日目、瓢六は岡っ引の源次と共に堀江町の裏店へ向かった。源次は前回も瓢六の見張り役を担っている。心安い相手だ。

「なあ親分、腹が鳴ってるぜ。こいつで鰻でも食って来たらどうだい」

小粒を渡され、源次はごくりと唾を呑み込んだ。

「例の芸者の家にしけ込むつもりじゃねえだろうな」

「安心しな。旦那はやもめだ。やきもきさせちゃあ体に毒だ」

「へへ。そんじゃあちょっくら行ってくるか」

源次は鰻屋へすっ飛んでゆく。

瓢六は亀井の家へ急いだ。おきぬに逢うなり、

「おいらは平吉の幼馴染みでよ、おまえさんの様子を見て来てくれと頼まれた。こいつはわずかだが……」

と、都合のいい話をでっちあげ、銭を握らせた。

不貞腐《ふてくさ》れたようにそっぽを向いていたおきぬは、銭を見て居住まいをただし、瓢六の男ぶりを見てしなをつくる。目をみはるような美人ではないが、内側から輝くような肌としなやかな体つきにえもいえぬ色香がただよう女だ。

初日、おきぬは瓢六をうるんだ目で見つめた。二日目には身をすりよせ、熱い吐息をついた。三日目になって、露骨に誘いをかけてきたとき、瓢六は据え膳にかぶりついた。二十六の男が二月も牢に押し込められていたのだ。弥左衛門ならいざ知らず、おきぬのような女に誘われて平然としていられるほど瓢六は朴念仁《ぼくねんじん》ではなかった。胸のなかでお袖に手を合わせ、瓢六はおきぬを抱いた。

おきぬの体は辛夷の花の香りがした。

昼日中であることも、壁が薄いことも、おきぬはとんじゃくしなかった。あられもない声をあげては、瓢六の背中を掻きむしる。

なるほど。こいつを女房にしたら、酔どれになるしかねえな――。

耳たぶを吸われて陶然としながらも、亭主の苦労を思いやる。

「危ねえ、危ねえ」

体を離すや、瓢六はつぶやいていた。このままでは、たあいなくからめとられてしまいそうだ。

伊達《だて》に歳をとっちゃあいなかったってわけだ――。

辛夷の匂いのする女は男好きだ、気をつけろと、ちょぼくれはいみじくも忠告した。だが平吉と新三郎に関していえば、もはや手遅れだった。

瓢六ははじめから、平吉が女をかばって嘘をついていると見抜いていた。目利きをしていてわかったのだが、贋絵をほしがる人間には二通りいる。小賢しい奴と無垢な奴だ。一方は銭儲けのために、一方は餓えた心を満たすために。愛《め》でているうちに、後者は偽物を本物と錯覚する。偽物にのめり込み、道を誤る。

平吉は憑《つ》かれたような目をしていた。女の虜《とりこ》になった目だ。おきぬなら、平吉を虜にすることなど、赤子の手をひねるようなものだったにちがいない。平吉は手代、おきぬは女中。二人は蔵で逢引きをしていた。おきぬは人妻である。自分のものにはできない。それだけに、平吉はいっそうのめり込む。命を賭けてもと思い詰める。

平吉はおきぬがギヤマンを盗んだことに気づいたのではないか。それで身代わりになる覚悟をした。惚れ込んだ女のために命を捨てる――それこそが偽物を本物に変える唯一の手段だと、平吉は信じて疑わなかったのだ。

瓢六の推測通りだとしたら、おきぬの夫が蔵のまわりをうろついていた理由もわかる。

新三郎もおきぬに拘泥《こうでい》していた。妻がギヤマンを隠していると知って、罪をかぶる気になったのだろう。

たしかに溺れてみたいような女ではあったが……。娑婆にいられる期限は半月。一気にけりをつけるしかねえな――。

手鏡片手に髷を整えているおきぬを見て、瓢六は未練を振り捨てた。

「ギヤマンをよ、なおしてやろうか」

唐突に切りだすと、おきぬは身をこわばらせた。

「蔵の床に粉が落ちていた。紅じゃあねえ。透き通った奴だ。折れたなぁ首んとこだろ」

おきぬは息を呑んで瓢六の顔を見つめている。情事のあとの上気した顔が見る見る青ざめるのを、瓢六は穏やかな目で眺める。

「だったら、なんとかなる。案ずるな。銭ならおいらが出してやらあ」

ギヤマンをどこに隠したのか。

いよいよ本題に入ろうとしたときである。

勢いよく戸が開いて、源次が飛び込んで来た。煎餅布団の上に横たわった半裸の瓢六と鏡の前に横座りになったおきぬを見て、あわてて視線を逸らせる。

「おい。早いとこ帰ったほうがいいぜ。例の女が来る」

「女？」

瓢六はおきぬを見た。おきぬは訳がわからなくなったと見え、呆然としている。その瞬間、瓢六はひらめいた。

「お袖がここへ！」

「そのまさかだ。篠崎の旦那が往生してなさる」

　源次がいい終わらぬうちに、路地で入り乱れた足音が聞こえた。足音と共に、男女のいい争う声が近づいてきた。

「いったい、どういう訳なのさ。六日も前に牢を出たんなら、なんであたしに……」

　けたたましい声でわめいているのはお袖だ。

「だからその、出たといってもお役目があるゆえ、遊んでおるわけにはいかんのだ」

　しどろもどろ応えているのは弥左衛門である。

「遊んで？　ちょいと、聞き捨てならないね。六さんがあたしと逢うのが遊びだってのかい」

「そうではないが、つまりその、お役目が済むまでは女子供に逢っている暇はないのだ」

「唐変木。そんなこといってるから、旦那には女がよりつかないんだ」

　お袖にかかると、八丁堀の旦那もカタなしである。女には百戦錬磨の瓢六でさえ、とうていかなわない。

　瓢六は泡を食って着物を羽織った。裏口は、と見まわし、ここが棟割長屋であることを思いだした。出入口はひとつしかない。

「親分。頼む。おいらの身代わりに」

瓢六は源次を強引に部屋へ引っぱり上げた。源次は火のない火桶に蹴つまずいて、布団の上に倒れ込む。瓢六は源次に飛びかかって、着物をはぎ取ろうとした。取られまいと源次は暴れる。もみ合っているところへ、弥左衛門とお袖がもつれ合うようになだれ込んで来た。

「おまえさん！」

甲高い声で叫んだお袖は、おきぬを見て血相を変えた。粋で仇っぽく、気っぷのいい江戸っ子芸者の唯一の欠点は、人一倍悋気《りんき》がはげしいことである。

「何してんのさ、こんなとこで」

お袖の剣幕に、男三人は凍りついた。

この場の状況を見れば、堅物の弥左衛門にもおおよその察しはつく。だが弥左衛門は、果《か》敢《かん》にも助け船を出した。武士の情けである。

「まあ、落ちつけ。こやつはギヤマンを探していたんだ。おう、どうだ。見つかったか」

「まだめっからねえが、ここにあるこたァたしかだ」

瓢六が救われたように応えると、弥左衛門は目をみはった。この場をとりつくろうためにギヤマンを持ちだしたのだが、ほんとうにあるとは思ってもみなかった。新三郎を召し捕ったあと、家捜しをしている。そのときもギヤマンは見つからなかった。

「待て待て。なれば、こやつの亭主が盗んだというのか」

「いや。犯人は旦那の目の前にいる女さ。おっと待った。盗みたくて盗んだんじゃあねえんだ。割っちまったんで、しかたなく持ち帰ったのさ。な、おきぬさん、図星《ずぼし》だろ？」

瓢六がおきぬに目を向けると、おきぬは瓢六をにらみ返した。

「それじゃあ、おまえさんはお上の手先だったんだね。あたしを抱いたのも、銭をくれたのも、ギヤマンを取り戻すために……」

瓢六、お袖、弥左衛門の三人は、おきぬの言葉を最後まで聞いてはいなかった。堰《せき》を切ったようにがなりたてる。

「だましたなァ悪かったが、おいらはおめえを助けてやろうとしたんだ」

「抱いた？　この人があんたを抱いたっていうのかい」

「ギヤマンはどこだ？　どこへ隠した」

「あのう……取り込み中ですが旦那」源次が恐る恐る口を挟んだ。「裏店の連中が覗いてますぜ」

三人はいっせいに入口を見た。開け放した戸口から、老若男女の顔が鈴なりに並んでいた。

おきぬだけは意地になったようにそっぽを向いている。

と、そのときだった。お袖が草履を脱ぎ飛ばして、畳へ駆け上がった。

「この、泥棒猫！」

夜叉《やしゃ》のような形相で叫び、火桶に手を突っ込んだ。冷えきった灰をおきぬに投げつけようとしたところで、「あっ」と声を上げる。けげんな顔で、そろそろと手を上げた。

お袖の指がつかんでいたのは、首から下の部分が欠けたギヤマンの酒器だった。

七

「それにしてもよ、女ってなァ、おっかねえな」

瓢六はいつになく真顔でいって、鉄瓶の湯を湯飲みへ注いだ。弥左衛門の目の前に突きだす。

受け取ってひと口すすると、弥左衛門は湯飲みを茶托に戻した。膝元の銚子を取り上げて、瓢六の湯飲みに注いでやる。

二人は弥左衛門の役宅で酒を、いや、酒と白湯を、酌み交わしていた。

ギヤマンが見つかったあと、お袖は瓢六を冬木町の自宅へ連れ帰ろうとした。なだめすかして一足先に帰し、弥左衛門は瓢六を八丁堀の役宅へ伴った。この機を逃せば、いつまた奉行所の同心と小悪党が酒――と白湯を酌み交わせるかわからない。

瓢六はうまそうに酒をあおった。

「ま、これで一件落着だ。おいらの知り合いが、明後日にはギヤマンを届けてよこすことになってる。そうすりゃあ、八方めでたしめでたしだ」

「元通りになるのか」

弥左衛門は首を傾げた。どことなく上の空である。

「なるともさ」瓢六は鼻をうごめかせた。「そいつはつい先だってまで、長崎で硝子細工師をしてたんだ。出島へ出入りして、阿蘭陀人から手取り足取り教わった。ギヤマンのことじゃあ、奴の右に出る者はいねえ」

「だったらなぜ江戸で細工師をしないのだ。大繁盛するぞ」

「おいおい。皆が皆、銭と出世のためにあくせくしたがると思ったら大間違いだぜ」

瓢六が「そいつ」といった男は、谷中の寺の寺男になっていた。今頃は、源次が瓢六の文を添えたギヤマンを手渡している頃だろう。修理が済んだら、長崎屋へ届けることになっている。盗人は辛くも取り逃がしたが古物商の手に渡っていたギヤマンを取り戻した、とでもいいつくろえば、それで事件は幕を閉じる。

「こわれたもんを無理にくっつけて元通りだといいつくろうんだ。偽物を本物と偽ることになる。おいらの意には反するが、そのお陰で三人が無罪放免になるんだ、ま、この際、しかたがねえやな」

三人とは平吉、新三郎、それにおきぬのことである。

平吉と新三郎の話におきぬの話をつき合わせると、ようやく事件の全貌が明らかになった。

おきぬは平吉と逢引きをするために蔵へ忍び込んだ。待っている間に小箱を覗き、ギヤマンの輝きに魅せられた。蔵の中は暗い。明かり取りの窓にかざそうと持ち上げたとき、表で怒声が聞こえた。新三郎がだれかと口喧嘩をしている。夫がおきぬの言動を疑い、酔いにまかせて嗅ぎまわるのはこれがはじめてではなかったが、時がときである。

おどろいた拍子にギヤマンを落としてしまった。首の部分が折れ、おきぬは蒼白になる。とっさには思案が浮かばず、袖の中に隠して蔵を飛びだした。

入れ違いに平吉がやって来た。おかしい。おきぬがいない。棚の上の小箱の蓋が開いている。ギヤマンには妖力があると源右衛門がいっていたのを、平吉は思いだした。おきぬはギヤマンに魅入られた。どうしてもほしくなり盗みだしたのではないかと、平吉は思った。おきぬは命より大切な女だ。蔵から出て来たところを客の一人に見られ、役人に問い詰められたとき、平吉は迷わず「自分が盗みました」と応えた。おきぬの身代わりになるという被虐的な陶酔に酔いしれている。

一方、亀井新三郎は、翌朝、自宅のへっついの上に置かれたギヤマンを見つけた。高価なものだと聞いていたから、恐くなって火桶の灰の中に隠した。新三郎は生来、気弱な男である。酔いが覚めて正気になれば、決まって自己嫌悪に陥った。職を失い、酒に溺れ、おきぬの働きで辛うじて食いつないでいる。そんな男に、女房の浮気をとやかくいえようか。番所へ引っ立てられたときは、むしろ救われたような気がした。

これが、事件の顚末である。

瓢六は酒を飲み干すと、銚子を引き寄せた。手酌で酒を注ぐ。

「けどよ、あの三人が娑婆で顔をそろえるんだ。ひと揉めあるにちげえねえ」

盗人の汚名は晴れた。が、新三郎の酒癖やおきぬの浮気癖、平吉の恋狂いがおさまったわけではない。

「ま、いいや。娑婆に修羅場《しゅらば》はつきもんだ」瓢六はしたり顔でいい足した。「それにしても、てえした女だぜ」

弥左衛門はため息をついた。口元まで運んだ湯飲みを、飲まぬまま茶托へ戻して、

「男が放っておけぬ女……か。この世には、まこと天女のような女がおるものだの」

と、ひとり言をいった。

瓢六はおきぬのことをいい、弥左衛門は八重のことをいっている。

弥左衛門は八重にひとめ惚れをした。事件が解決するまでは忘れようと努めていたが、解決したとたん、八重の面影が胸を占領してしまった。自分でも自分の気持ちを持て余している。

瓢六はけげんな顔をしたものの、さほど気にも止めず、

「天女か。たしかに天女だな。そうだ。旦那も一度、お試し願っちゃあどうだい」

と、交ぜっ返した。

弥左衛門は眉をつり上げた。が、いい返す代わりに、またもや太い息を吐きだす。

「おいおい、どうしたんでえ。さっきからため息ばかしついてるじゃあねえか。まさか旦那まで、恋煩いに罹ったわけじゃあねえだろうな」

何が似合わぬといって、弥左衛門と色恋沙汰ほど不釣合なものはない。瓢六は冗談半分にいったのだが、弥左衛門は狼狽した。真っ赤になってごほごほ咳き込み、あわてて湯飲みに手を伸ばす。取り上げたはいいが、指がふるえていた。わざとらしく空咳をして湯飲みを置く。手の甲で額の汗を拭った。

瓢六は口をぽかんと開けて、弥左衛門の度を越した動転ぶりを眺めていた。我に返る

のを待って、にやりと笑う。

「へへへ、そうか。おかしいと思ったぜ。旦那にもようやく人並みに惚れた女ができたってェわけだ。で、どういう女だ？　まさか、おきぬじゃあねえだろうな」

「馬鹿を申すな」

「どうかな。訳はともあれ、おきぬはギヤマンを持ち帰った。いつもの旦那なら、有無をいわせずお縄にするところだ。それが咎めもせず、見逃してやった」

「あんな尻軽女に惚れるものか」弥左衛門はむきになっていい返した。「八重どのとおきぬでは月とすっぽん。あのお人は汚れを知らぬ天女だ」

「ふうん。八重ってェのか」瓢六はにやつく。「おいらもよ、長崎にいるとき、八重って女と昵懇《じっこん》になったことがあるぜ。もっともそいつは丸山の遊女だったが」

「さような女と一緒にするな」

弥左衛門はかっとなって湯飲みをあおった。湯飲みは空だ。

瓢六は失笑を堪えて鉄瓶を取り上げ、白湯を注いでやった。

「で、よう、どういう女だい、八重ってなあ……」

「気安く呼ぶな」

「おっと失礼。どのようなお方でございますか、お八重さまと申される女人《によにん》は？」

弥左衛門はふんと鼻を鳴らしたものの、ついつられて身を乗りだした。恋をすれば、だれかに話を聞いてもらいたくなるものだ。

「賄い方組頭のご息女での、歳は二十二。まだ二十歳そこそこに見える楚々《そそ》とした女人だ」

「ふむふむ」

「ところが厄介なことがあるのだ」

弥左衛門は、忠右衛門との喧嘩の経緯《いきさつ》を話して聞かせた。瓢六は笑いを嚙み殺し、神妙な顔で拝聴する。話が終わるとすかさず訊ねた。

「で、お八重さまとは何度くらい逢ったんだ」

「何度？」

「つまりよ、逢引きした回数さ」

弥左衛門は真っ赤になって尻をもぞもぞさせた。

「逢引きなどするわけがなかろう。相手は後藤家のご息女だぞ」

「女に変わりはねえや」瓢六は肩をすくめた。「けどよ、手くらいは握ったんだろ」

「まさか」

「するってェと、二人っきりで話したこともねえのか」

弥左衛門は憮然とした顔でうなずく。

「そんならよ、お八重さまは旦那に惚れられてることも知らねえのかい」

「知るもんか。道で見かけただけだ」

瓢六は目をみはり、それからくつくつ笑いだした。

「なあんだ。旦那が勝手に懸想《けそう》してるだけか」

酒をなめながら、感心したように弥左衛門の仏頂面を眺める。その眸に親愛に満ちた色が浮かんだ。

「ま、焦ることたァねえやな。旦那は折り紙つきの本物だ。本気で惚れたんならうまくいくはずだ」

弥左衛門は自信がなさそうに首を横に振った。

「おれはこの通りの粗忽者《そこつもの》だ。女にもてたことがない。そういった、その、惚れたのなんのということは、どうにも苦手での」

「そんななァ簡単だ。おいらが手ほどきしてやらあ」

瓢六は胸を叩く。弥左衛門が期待を込めて見返したとき、玄関先で源次の声がした。小者の義助に挨拶をしている。狭い家なので声が筒抜けだ。

源次は挨拶をすると、一旦玄関を出て、庭のほうから入って来た。

「旦那。ギヤマンを届けて来やした。他ならぬ瓢六の頼みだ、なんとかやってみるたァいうんですがね、あの寺男に果して……」いいかけて瓢六に目を向けた。「なんだ。ここにいたのか。お袖さんが血眼《ちまなこ》になって探してるぜ」

瓢六と弥左衛門は顔を見合わせた。

お袖は弥左衛門に追い立てられ、しぶしぶ家へ帰った。が、いつまで経っても瓢六はあらわれない。業を煮やし、八方捜しまわっているという。

「へへ。色男はつれえや。ギヤマンも出てきたことだし、そろそろお袖んとこにしけ込むとするか」

瓢六は鼻の下を伸ばしていうと、そそくさと腰を上げた。

手ほどきはどうなる——？

弥左衛門は落胆したものの、探るような目で二人を見比べている源次を見て、口に出すのはあきらめた。わざと居丈高《いたけだか》な口調で念を押す。

「おい。ギヤマンが届くまではお目こぼしをしてやるが、明後日には戻れよ」

「へい。それだけありゃあ十分でさ」

瓢六が神妙な顔で応えると、弥左衛門は源次に目を向けた。

「明後日まで、お袖の家を見張るんだ」

「またですかい」源次はうんざりしたようにつぶやいた。「こいつらがいちゃつくのを、また指をくわえて待ってるんで？」

「うるさい。早く行け」

「へいッ」

去ってゆく源次と瓢六を、弥左衛門は口をへの字に曲げて見送る。ひとりになって白湯をがぶりと呑んだとき、はっと気づいた。そういえば、瓢六に酒を飲ませ、身の上話を聞きだそうと手ぐすねひいていたのだ。

またもや、するりと逃げられたか――。

弥左衛門は苦笑した。

八

長崎屋の奥座敷で、瓢六と弥左衛門は源右衛門と向き合っていた。弥左衛門にうながされ、瓢六が小箱の蓋を開ける。恭しくギヤマンを取りだすと、源右衛門は福々しい手で受け取った。

「おう、これこれ」

陽に翳してためつすがめつした上で、満面に笑みを浮かべる。

弥左衛門は冷や汗を拭った。一方の瓢六は平然としている。

「たしかに」

源右衛門はギヤマンを箱におさめると、あらためて両手をついた。

「これで四年後にまた心置きなくカピタンさまご一行をお迎えすることができます。それもこれも旦那方のお陰でございます」ふところから袱紗《ふくさ》に包んだ金子を取りだし、弥左衛門の膝元にそっとすべらせた。「些少ではございますが、これは心ばかりのお礼。お納めください」

「いや。お役目ゆえ、もらうわけにはゆかぬ」

弥左衛門は袱紗を押し返した。源右衛門がその手を押し戻す。

「さように堅いことを申されずとも……」

「いやいや、拙者、かようなことは」

そのとき、横からひょいと手が伸びた。手妻《てづま》のような速さで、瓢六は袱紗をふところに入れた。

「お、おい」

弥左衛門の抗議を無視して、瓢六はにっと笑う。

「こいつはありがたくいただいておきますぜ」

「どうぞどうぞ」源右衛門も笑顔でうなずいた。「四年後に、カピタンさまがこのギヤマンでお酒を召し上がります。乾杯しようとしたとたんに首がぽろり、なんてことになろうものなら、こちらの首もころり。ひびが入らぬよう、特別の入れ物を作らせることにいたしました」

弥左衛門は凍りついた。青くなって瓢六を見る。

瓢六は知らん顔。

源右衛門に送られて、二人は長崎屋をあとにした。


「大丈夫だろうな」

小伝馬牢へ戻る道で、弥左衛門は念を押した。

「何が？」

瓢六はきょとんとした顔で訊き返した。

「四年後にカピタンが乾杯するときのことだ」

「さあ」

「さあ、だと？」

弥左衛門は肩を怒らせた。が、瓢六はけろりとしている。

「無理やりくっつけたんだ。折れねえ保証はねえや」

「おいおい……」

「心配するなって。四年後にはな、似たようなギヤマンが巷《ちまた》にあふれてらあ」

「なぜわかる？」

「おいらの目は旦那の目より、ちょいとばかし先が見える。ま、そういうことさ」

「この大法螺《おおぼら》ふきが」

弥左衛門は舌打ちをした。

瓢六の予測は概《おおむ》ね当たっている。

長崎では今、いち早くギヤマンの製造をはじめた上総屋留三郎《かずさやとめざぶろう》をはじめ、各地の硝子細工師が集まって修業に励んでいた。一昨年は川原慶賀が「硝子細工処」の図を制作、昨年は花井一好が「和硝子制作編」を著すなど、このところ硝子細工への人々の視線には熱いものがある。そうした逐一《ちくいち》を、瓢六は長崎の知己、江戸の情報通から聞き込んでいた。

小悪党のくせに交友関係が広いことも、この男の謎めいたところである。

大牢の前で、瓢六は足を止めた。袱紗を取りだし、弥左衛門の胸元に押し込む。

「こいつはおまえが……」

「いいってことよ。おいらにゃ、お袖がいる」

「しかし、拙者かようなものは……」

「堅いことばかしいってるとお八重さまに嫌われるぞ。色恋沙汰も金次第」

そんじゃあなと、瓢六はひょこりと頭を下げた。

菅野さまはいつまで瓢六を牢へ押し込めておくおつもりか、後ろ姿を見送りながら、弥左衛門は思案した。解き放ってやりたいと思う気持ちと、もう少し自分の目の届く場所に置いておきたいという思いが、胸のなかでせめぎ合っている。

ともあれ恋の手ほどきを受けるまでは――。

弥左衛門は胸の内でつぶやいた。


「ちょぼくれは？」

九枚重ねの畳のてっぺんを見上げ、瓢六は訊ねた。

「遠島になった」

名主の雷蔵は応えた。瓢六が絶句するのを見て、つけくわえる。

「八丈島だ」

正確な歳はわからないが、ちょぼくれは老人である。船出したら最後二度と戻れぬ女護ケ島の旅へ、それではついに出立したのか。

牢へ戻ったら、辛夷の花の匂いのする女の話をしてやろうと思っていたのに――。

瓢六は肩を落とした。

踵を返そうとすると、雷蔵が呼び止めた。

「これを、おめえにやってくれとさ」

ひゅうっと風を切って飛んできたのは、ビイドロの簪《かんざし》である。

瓢六は片手で器用に受け止めた。

三枚重ねの畳の上に寝ころんでくるくるまわす。光の粉がこぼれ、花火のように散り咲いた。

平吉も新三郎もちょぼくれも、堅物の旦那でさえも――。

ギヤマンに魅入られた。花の香りのするギヤマンに。

「お袖にくれてやるか」

簪をふところへしまう。

長崎の華やいだ情景がまぶたをよぎり、瓢六は遠い目になった。

鬼の目

一

牢獄には季節がないと、娑婆の人間はいう。

そんなことはない。四季はないが夏と冬はある。

ある朝、板床を踏みしめた瞬間、足の裏にかすかな温もりを感じる。明かり取りの窓越しに空を見上げ、思わず目を瞬かせる。蝿や蚊がやけに目につくようになった、と、思ったときはもう盛夏になっている。

「ふうん、瓜たァ泣かせるぜ」

瓢六は盆の上の皿に目を止めた。

牢の食事は一日二食。おきまりの物相飯《もっそうめし》と実のない汁の横に、この日は塩揉みの瓜が一切れ添えられていた。

「どうせならもうひと声、初鰹といきてえもんだ。なあ、繁蔵《しげぞう》」

瓢六はつっかかった。

繁蔵は賄い所で働く中間《ちゅうげん》である。牢屋同心の指図に従い、囚人に飯を配る。歳は三十そこそこ。つり上がった目とへの字に曲がった唇、角張った赤ら顔が、どことなく大江《おおえ》山《やま》の鬼を思わせる。無口な男で、前任者と代わって四日経つが、囚人とはろくすっぽ口もきかず、目も合わせなかった。

「返答くれえしたって、罰は当たらねえぜ」

瓢六は格子の隙間から手を伸ばして、繁蔵の袖を引っぱった。

「な、なに、しやがる」

「更衣《ころもがえ》が済んだかどうか調べただけさ」

繁蔵は綿入れではなく袷《あわせ》を着ていた。

四月朔《ついたち》は更衣。娑婆の人間はこの日から五月四日まで袷、そのあと九月まで麻布や葛布で作った一重仕立ての帷子布《かたびらぬの》を着る。一方、囚人は、冬は浅葱木綿の袷、夏は単衣《ひとえ》。それでなくても単純な毎日で日時がこんがらかる。四月になったか否か、瓢六は手っとり早くたしかめたのだった。

「娑婆はもう初夏か。光陰矢のごとしたァよくいったもんだぜ」

瓢六は肩をすくめた。盆には手を出さず、三枚重ねた畳の上へ戻る。

腹は空いていなかった。半刻ほど前、牢見舞の稲荷寿司を食っている。一畳に数人の囚人がひしめく牢内でのうのうと手足を伸ばして寝られるのも、食いたいものを食えるのも、お袖が貢《みつ》いでくれる銭があるからだ。

お袖の奴、どうしてるかな――。

切れ長の目元、ふっくらした唇、男心をそそる情婦の顔を思い浮かべようとして、瓢六はふっと弥左衛門の言葉を思いだした。

八重どのは天女だ――と、どこから見ても色恋沙汰には縁がなさそうな中年男がいったのである。

「へへ、旦那もだらしがねえや」

瓢六は忍び笑いを漏らした。

あの堅物じゃあ、ま、無理もねえが——。

恋の手ほどきをすると約束した。が、残念ながら入牢の刻限が迫っていたので、指南するまでには至らなかった。あれからひと月。牢格子を通して見たところでは、まだ進展はしていないらしい。

「ひと肌脱いでやらにゃあなるめえな」

眸を躍らせたときである。罵声があがり、盆や碗の飛び散る音がした。

巾着切の常習犯・庄助と、五日前に材木町の大番屋から送られてきたばかりの初五郎が片隅で取っ組み合いの喧嘩をしていた。初五郎は盗賊の一味だという噂だ。

喧嘩など珍しくもなかったが、

「なんでえ、ありゃあ」

瓢六は隣のねぐらの囚人に訊ねた。初老の男で名は松庵《しょうあん》、娑婆での稼業は贋《にせ》医者である。

「新入りの瓜をよ、庄助の野郎がくすねたんだ」

箸を止めて、松庵は応えた。

「またか」

瓢六は苦笑した。

庄助に向かって「人さまのものに手を出すな」というのは、「呼吸《いき》をするな」というようなものである。初五郎は入牢して日が浅いため、むきになって反撃に出たらしいが、そんなことではやっていけない。取られたらあっさり負けを認める。その代わり、隙を見て奪い返す。それが地獄の処世術である。

初五郎は庄助の腹を蹴りあげた。首に両手をかける。庄助は初五郎の手を振り切り、右手をひねりあげた。初五郎は左肘で庄助の鳩尾に一撃を加えて巧みに逃れる。が、ひと息つく間もなく、体勢を立て直した庄助が初五郎に殴りかかった。壮絶な闘いに、囚人どもは食事の手を休めて見とれている。

と、そのときだった。

「やけに埃がたちやがる」

九枚重ねの畳の上で、名主の雷蔵が唸った。低く、くぐもったその声には、凍りつくような響きがある。

庄助と初五郎は闘争を止め、こそこそと元の位置に戻った。

囚人たちも夢から覚めたように食事に戻る。

瓢六は雷蔵を見上げた。

二

雷蔵はぼうぼう眉の下の深遠な目で牢内を見渡していた。目線を一巡させると、毛むくじゃらな巨体をごろんと横たえ、自分だけの世界へ入り込んだ。

「叔父上。このようなところで、何をしておられるのですか」

若々しい声がして、弥左衛門は目をむいた。

振り向くと、甥っ子が探るような目で見つめている。

「いや、その、中はいかようになっておるかと……」

しどろもどろに言い訳をしながら、弥左衛門は板塀から飛びのいた。

甥の与兵太《よへいた》は弥左衛門の姉・政江の息子で、十一歳になる。体つきが骨太で逞しいだけでなく、旺盛な好奇心も母とよく似ていた。

弥左衛門が片思いの相手、八重をはじめて見たのは賄組組屋敷内の、この板塀の節穴を通してだった。妻に先立たれた三十男が、廃屋の庭にたたずみ、真摯《しんし》なまなざしで蝶を追いかけていた女にひと目惚れをした。

だが、弥左衛門はよくよく女運に見放されているらしい。

見合いをすっぽかした詫びに出向いた際うっかり本音を漏らしてしまい、八重の父・忠右衛門の不興を買った。

――不浄役人なんぞに娘をやれるか。

――さようなことをいって、嫁き遅れの娘を押しつける肚にござろう。

――おぬしの顔など見たくない。

――こちらこそ御免こうむる。

売り言葉に買い言葉で収拾がつかなくなり、後藤家から飛びだしたそのあとで、偶然にも八重に出会ったのである。

非番のこの日、はるばる小日向台町にある組屋敷に足を向けたのは、もしや八重に逢えぬものかと期待したからだった。逢ったからといって、むろんどうなるものではない。声をかける勇気などありそうになかったが、なんとしても今一度、顔が見たかった。

「ここは空家です。中にはだれもいません」

与兵太は小生意気な口調でいう。いったところで、ぱっと顔を輝かせた。

「捕物ですね」与兵太は息を弾ませた。「賊が逃げ込んだのですか」

「まあ……そんなところだ」

弥左衛門は曖昧に相槌を打った。

「お手伝いいたします」

破れ板の隙間から中へ入ろうとする少年を、弥左衛門はあわてて引き止めた。

「逃げ足の速い奴での。もはやここにはおらぬ」

「なあんだ、取り逃がしたのですか」

「ま、そういうことだ」

弥左衛門は苦笑した。

「それでしたら叔父上、家へ寄って行ってください」

与兵太は学問所の帰りだという。

「今日は四書を習いました。叔父上にお聞かせします」

「聞きたいのはやまやまだが、いろいろとその、やらねばならぬことがあっての」

「せっかくここまでいらしたのです。少しくらいよいではありませんか」

強引なところも母譲りである。

固辞しようとして、弥左衛門は考えをあらためた。忠右衛門との喧嘩以来、姉には逢っていない。八重との縁談があれからどうなったか聞いておきたかった。

姉の家は組屋敷内の東よりの一劃にある。与兵太に引きずられるように門をくぐると、下僕の七助が二人を出迎えた。七助は姉の夫の与兵次に子供の頃から仕えてきた老僕である。沢田家のたった一人の奉公人でもあった。

七助に足をすすいでもらっていると、姉の政江が小走りに出て来た。

「おやまあ、弥左衛門どのではありませんか。珍しいことがあるものですね」

おいでなされませ、と挨拶をすると、政江は弟のむきだしの脛《すね》に目を止めた。

「どうしたのです、そのみみず腫れは？」

八重を思ってぼおっと歩いていて、石ころに蹴つまずいたときの傷である。むろん、そうはいえない。

「御用の向きにて少々……」

やむなくとりつくろうと、政江はすかさず申し出た。

「薬をつけてしんぜましょう」

「これしき、放っておけばよい」

「そうはいきません。化膿したらどうするのです」

政江は七助に茶菓を運ぶよう命じ、奥の間へおいでなされとうながした。

弥左衛門は重い足取りでついてゆく。

沢田家は禄高七十俵だ。拝領屋敷は百坪余りで、広さは弥左衛門の家とさほど変わらない。が、そこは殺伐としたやもめ暮らしとちがって、あるべきところに物がおさまり、掃除も行き届いていて、床の間には花も活けてあった。

「菖蒲の季節か」

姉にいわれるままに足を投げだし、弥左衛門は花に目を止めた。

「朋代《ともよ》が活けたのです」

薬箱を引き寄せながら、政江は応えた。朋代は十六になる沢田家の長女である。

「近所にお華のお師匠さまがおられるのですよ。組屋敷のお嬢さま方はみな通うておられます。そうそう、例の後藤家のご息女も習うておられるそうですよ」

「後藤家の？」

弥左衛門は聞き耳を立てた。

「ほら、あの八重どの」といって、政江は眉をひそめた。「そなた、後藤さまに、八重どのとの見合い、御免こうむるといったそうですね」

「いや、あれはその、つい言葉のはずみで……」

政江は薬箱の蓋を開け、古ぼけた壺を取りだした。

「後藤さまは無礼な奴だとひどくお怒りだったとか」

いいながら、目もさめる紅色をした練り薬をへらに取り、弥左衛門の脛に塗りつけた。

「姉上、お手柔らかに」

弥左衛門は悲鳴をあげた。政江は聞こえぬふりをして手荒く薬をすりこむ。

「我が主殿はこっぴどく油をしぼられたそうです」

「相済まぬことをいたしました。あの折りは不浄役人呼ばわりされてついかっとなりました」

「さようなことだろうと思うておりました」

「あ、いやしかし、拙者もちといいすぎました。できますればあらためて詫びを入れて……」

最後までいわせず、政江は脛をぴしゃりと叩いた。

「いたたたた」

弥左衛門は文字通り飛び上がった。

「詫びなど無用です」

「なんと？」

「後藤さまは我が主殿の上役、ことを荒立てぬよう主殿が丁重に詫びるはいたしかたなきことですが――わたくしは、承服できかねます」

ふっと不吉な予感がよぎった。弥左衛門は恐る恐る訊ねた。

「どういうことですか」

「朋代にも申しきかせました。二度と八重どのとは親しく口をきかぬようにと」

政江はきっぱり応えた。

「姉上、八重どのに別段落ち度は……」

「だからといって、後藤家のご息女であることに変わりはありません。お役目上のお付き合いはともかく、それ以外はこちらの方で御免こうむります。沢田家に嫁いだとはいえ、わたくしも篠崎家の娘、里方のお役目を悪しざまにいわれて黙ってはおれません。それにしてもいうに事欠いて不浄役人とは、ようもまあ……」

次第に激昂《げきこう》してきたのか、政江は弥左衛門によく似たいかつい顔をゆがめ、早口でまくしたてる。弥左衛門は思わぬ展開に動転していた。

「さすればあの縁談は、もはやどうあっても元には……」

「当たり前です。万にひとつ、先方が頭を下げてこようとわたくしが許しません。弥左衛門どのには、篠崎家の面子《メンツ》にかけてもよきお相手を探します。後藤家など見返してやりましょうぞ」

きっぱり宣言すると、政江は勢いよく薬箱の蓋を閉めた。何をぐずぐずしておるのじゃと、その場にいない七助に八つ当たりをしながら、茶菓の催促をするために部屋を出てゆく。

弥左衛門は足を投げだしたまま、視線を宙に泳がせた。

話はひどくこんがらかっているようである。忠右衛門に加え、政江までがへそを曲げたとあらば、八重との縁談は絶望的だ。薬もやけにしみるが、胸の痛みに比べれば、それすら蚊に刺されたようなものだった。

重苦しい吐息を漏らしたそのとき、与兵太が廊下から顔を覗かせた。

「叔父上」

立ち聞きしていたのか、にやにや笑いながら這い寄って来る。

「やっぱりその薬ですか」こましゃくれた顔で脛を覗き込んだ。「ひどい薬でしょう。ひりひりする上に、ひと月余りも色がとれぬのです」

弥左衛門は力なく与兵太の顔を見返した。

「おぬしも塗られたことがあるのか」

「はい。悪戯《いたずら》が見つかるたびに、尻にこってり塗られました」

「尻に！」

呆然と脛を眺める。おぞましい紅色に、弥左衛門は思わず身ぶるいをした。

三

同じ頃、瓢六は怒りに身をふるわせていた。

骸《むくろ》を見下ろしている。

死んだのは庄助だ。もったいぶって死人の体をいじりまわしている贋医者・松庵の意見を拝聴するまでもなく、毒を盛られたのはあきらかだった。長崎で似たような死にざまを見たことがある。

「こいつはひょっとすると……」

松庵は初五郎に疑わしげな目を向けた。初五郎は先日、庄助と大喧嘩をしている。だが、部屋の隅へ逃げ込み、青ざめた顔でうずくまっている男に、大衆の面前で仲間を毒殺するだけの勇気があるとは瓢六には思えなかった。

「めったなこたァいわねえほうがいいぜ」

松庵に目くばせをする。

囚人の不審死は日常茶飯事だ。牢内の喧嘩で殴り殺される者もいれば、口封じのために一服盛られる者もいる。何が起ころうと、囚人は見ざる聞かざるに徹することが、暗黙の了解となっていた。牢役人もよほどでなければ吟味しない。どのみち仕置きを待つ悪党である。たいがいは病死として済ませてしまう。

だが、瓢六が松庵に「めったなことはいうな」と釘を刺したのは、知らんぷりをきめこむためではなかった。

人の命ってなァよ、そんなに軽かァねえや——。

瓢六は目利きをしていた。真偽を曖昧にしておくのは大嫌いだ。それに何より、人の命の尊さを弁《わきま》えていた。これればかりは、唐来の逸品や南蛮渡来のお宝とちがって値がつけられない。

庄助には娑婆で待つ老母がいるという。たとえ盗癖のある息子でも、老母にとっては千両万両にも代えがたい宝であるにちがいない。

牢役人がやって来て、骸を運びだした。あとにはおびただしい血と吐瀉物《としゃぶつ》が残った。雷蔵の指図で、新米の囚人どもがぼろ雑巾で床を拭い、水をまく。

騒動が静まるのを待って、瓢六は腰を上げた。九枚重ねの畳の下へ行く。雷蔵の膝元へ二朱銀をすべらせた。

「庄助のことですがね……」

いいかけるや、銭は手妻のような速さで消えた。

「おめえも物好きだな」

「性分なんで」

「好きにしろ」

これで庄助の一件について探索の許可を得たことになる。捕らわれの身で何ができるか、と思うのは愚の骨頂。銭さえあれば、なんでもできる。牢に居ながらにして娑婆の仲間を動かすことも不可能ではない。

「へい」と頭を下げ、踵を返そうとすると、雷蔵が呼び止めた。

「目星は？」

「――鬼」

瓢六は肩をすくめ、雷蔵はまぶたをひくりとふるわせた。

四

「鬼？」

弥左衛門は目をみはった。

菅野一之助は品のよい顔を曇らせて、「うむ」とうなずいた。

「見ておった者たちの話では、まるで鬼がとりついたように見えたそうな」

出仕一番、弥左衛門は菅野の官舎に呼ばれていた。

昨日は四月八日で、灌仏会《かんぶつえ》だった。灌仏会とは釈迦如来の生誕祭のことで、別名を花供養ともいう。釈迦如来が生誕した際、空から天竜が降ってきて甘露水を注いだという故事に倣《なら》った行事である。寺社ではこの日、花御堂のなかに安置した唯我独尊の尊像に千歳茶《あまちゃ》を供える。参詣人は列をなし、ひしゃくで尊像に千歳茶をそそぐ。

千歳茶は目の病に効くとも、毒虫の害を駆除する効能があるともいわれている。参詣者のなかには青竹で作った椀を買い求め、千歳茶を注いでもらって家へ持ち帰る者もいた。持ち帰った千歳茶を硯に流し、墨を解いてまじないの文句を認《したた》める。その紙を簞笥に入れ、または柱に貼りつけると虫よけになると信じられていた。

事件が起こったのは、両国回向院《えこういん》の人込みのなかだった。幾万という人間がごったがえしている。汗ばむほどの陽気に加え、遠方から歩いて来た者も数しれない。喉の渇き堪えがたく、無病息災を念じて千歳茶を飲み干す者もいた。そのなかの何人かが突然、奇怪なふるまいに及んだのである。

「鬼がとりついた、とは、いかような……」

「顔を真っ赤にして眉をつり上げ、口から泡を飛ばし、訳のわからぬことを口走ったり、暴れだしたり、昏倒する者もおったそうな。いずれも双眸が異様にぎらつき、瞬きを忘れて、あらぬ方を見据えておったそうでの」

「あらぬ方を?」

弥左衛門は呆れ返った。真っ昼間、大衆の面前で鬼がとりつく——そんな馬鹿げた話はこれまで聞いたことがない。

「しかも一人、二人ならともかく、十数人がいちどきに正気を失ったのだ」

「さすれば十数匹の鬼が、どこぞから集まって来たということですか」

「馬鹿め。鬼なものか。毒を盛られたとでも考えるほかあるまい」

弥左衛門は居心地悪そうに身をちぢめた。ふと思いついて、起死回生とばかり勢いよく訊ねる。

「千歳茶については、調べてみたのでしょうか」

「むろんだ。が、残りの茶に毒はなかったそうだ。もっとも同じ茶を飲んだ者でも、なんともなかった者もおったゆえ、一概に千歳茶のせいと決めつけるわけにはゆかぬ。もしや餅菓子かとも思ったが……」

この日は「いただき」という餅菓子を仏前に供える。寺社の門前には、竹椀売りと並んで菓子を売る屋台も出ていた。

「これは食しておらぬ者のほうが多かった。奇怪な話ではあるが、人込みに紛れて、だれぞが千歳茶に毒をまいて歩いたとしか思えぬ」

菅野は吐息をついて、庭へ目をやった。

艶めいた陽射しが、傾いた石灯籠や無造作に置かれた石、山茶花の新緑に照り映え、心浮き立つ季節の到来を告げている。

弥左衛門も庭を見た。もとより弥左衛門の心は森羅万象の華やぎとは無縁である。八重のことで胸塞がれているので、きらめく陽光も色褪《あ》せて見えた。

「いまだ昏倒から覚めぬ者もおるが、いずれも命に別状はないそうな」庭に視線を留めたまま菅野はつづけた。「とはいえ、かようなことが頻繁に起こらば、市中は混乱をきたす」

迷信深い人々は、鬼は何かの祟りではないかと騒ぎだす。それに乗じ、ご政道を正そうとする者が出るかもしれない。幕府にとって由々しい事態となるのは目に見えていた。

「毒をまいた不届き者を、即刻、捕らえねばならぬ」

菅野は部下に視線を戻した。

恋煩いに罹った頭でも、事の重大性はわかる。弥左衛門は神妙な顔でうなずいた。

「承知仕《つかまつ》りました。即刻、駆けつけ……」

腰を浮かせかけると、「まあ、待て」と、菅野が引き止めた。

「駆けつけてどうしようというのだ？」

「どう、といわれましても……。つまりその、地廻りどもに聞き込みをさせ、不審な輩《やから》を見た者がおらぬかどうか……」

「回向院には万を越える人が出ておったのだぞ、いったいだれに聞き込みをするというのだ？」

「それは、まあ」

出端《でばな》をくじかれ、弥左衛門はやむなく腰を落とした。

と、そのときである。菅野の眸がにわかに活気づいた。

「いずれにせよ、かつて類を見ない、特殊な毒であることにちがいはない。まずはそこから手をつけるがよかろう。どうじゃ」

弾んだ声でいう。

弥左衛門は上役の眸を見返した。

「毒の正体をつかみ、入手可能な人物を洗え……と、さような仰せでしょうか」

菅野はうなずいた。

「ことによると、南蛮渡来の毒やも知れぬ」

「南蛮渡来！」

二人は顔を見合わせる。

「そこでだ」

「されば」

同時に声を発し、ひと呼吸おいて異口同音に、

「瓢六！」

菅野は顔をほころばせた。

「あやつは蘭学や本草学もかじっておるそうな。彼奴《きゃっ》の博識ぶりを試してみるのも、悪くはなかろう」

もったいぶっていう。

二度あることは三度あるというが……。町奉行所が牢獄の小悪党に助力を請う。そのことに抵抗はあったが、弥左衛門は異議を差し挟む気にはならなかった。瓢六はあまのじゃくだ。傍若無人、小生意気、皮肉屋、無遠慮、女たらし……欠点を数え上げたらきりがない。が、この際、目をつぶろう。

ひと月前、捕物に協力させた折り、瓢六から恋の手ほどきをしてやるという約束をとりつけていた。弥左衛門にとっては好機到来である。

「半月ほど、あやつを解き放ってやれ」

菅野は命じた。弥左衛門はひと膝進めた。

「今回はかつてない難事件。短期間では、ちと無理かと存じます」

たとえ捕物のほうは半月で終えたとしても、恋の道の指南には時が足りない。

「いかほどあればよいのだ」

「できますれば二月か三月」

「無理を申すな」

南北奉行所は月番である。大牢の囚人を解き放つのは、当番の月に限られる。

「でしたら、せめてひと月」

「よかろう。期限は今月末まで。それまでに毒の正体をつかみ、出所を突き止めよ」

早くも解決したかのように、菅野は晴々とした顔である。

悠然と座して報告を待つ身になりたいものだ――。

弥左衛門は胸の内でため息をついた。探索も恋も、この世は意のままにならぬことばかりである。

こうなったら一刻もぐずぐずしてはいられなかった。

「それでは、すぐにも出牢証文をお願いいたします」

「詰所で待っておれ」

弥左衛門は一礼した。

裾を払って立ち上がろうとしたとき、ちらりと向こう脛が覗いた。

「なんのまじないだ」

菅野は目敏く、訊ねた。

「は？」

「その派手派手しい色だ。魔よけか」

「いえ」弥左衛門は真っ赤になった。「薬です」

「薬？」

「はあ。怪我にも万病にも効くとやら……」

剣術の鍛練をしておるところへ下手な奴の木刀が飛んで来て脛に当たり——口のなかでもごもご応える。嘘は苦手だ。言い訳をしているうちに全身から汗が噴きだした。

弥左衛門の狼狽を余所に、菅野はからから笑う。

「鬼よけには効くやもしれぬの」

いたたまれず、逃げるように退散した。

五

「待て。どこへ行く?」

弥左衛門は泡を食って瓢六のあとを追いかけた。

たった今、二人は小伝馬牢の門を出たばかりだ。

「決まってらあ。お袖の家さ」瓢六は応えた。「真先に顔を見せねえとあとが怖い」

ひと月余り前、二度目に牢から出されたときは、お袖に内緒で探索にとりかかった。お陰でへそを曲げられ、やぶからぼうに浮気の現場へ乗り込まれた。肝の冷えるような思いは二度としたくないのだ。

「といってものう……」

弥左衛門は歯切れが悪かった。探索をすっぽかしてお袖の家へ入り浸り、右往左往させられた記憶が、まだ頭の隅にこびりついている。

今回は探索に加え、ぜひとも恋の手ほどきをしてもらわなければならない。二六時中お袖につきまとわれては迷惑だった。

「気が散っては探索に身が入らぬ。まずは捕物を済ませた上で……」

行くなと理由をきっぱりいえないのは弥左衛門の辛いところだ。かといって下手に出るのも沽券にかかわる。

「相変わらず融通がきかねえな」瓢六は一笑に付した。「そんなこといってるから女がよりつかねえんだ。おっと、そういやあ、八重とかいう女はどうなったんだ」

「八重さまと呼べ、八重さまと」

弥左衛門の仏頂面を見て、瓢六は大仰に首をすくめる。

「ええと、お八重さまとの道行はいかが相なりましたんで？」

「どうもこうもないわ。進展なし。八方塞がり。お先真っ暗。お手上げとはこのことだ」

「ははん。それでおいらに泣きつくために、ありもしねえ捕物をでっちあげたのか」

「な、何を申す。不届き者めが」弥左衛門は真っ赤になった。「おぬしを解き放ったは歴とした役目を申しつけるためだ。八重どののことはあくまで私事。それはその、捕物が落着した暁に……まあ、少しばかり、おぬしの知恵を借りて……」

「へへ。むきになるない。合点承知。お役目なんぞちょちょいと片づけて、たっぷり知恵を貸してやるさ。で、捕物ってなァなんだい」

「腰を落ちつけた上で詳しく話す」

とやこういっているうちに、お袖の家へ着いた。

お袖の家は深川冬木町にある。小ぎれいな二階家だ。小ぢんまりした庭の一劃に藤棚があり、藤の花が、今を盛りと艶やかに咲き誇っている。

「なかへ入るのはどうも……」

「まァそういわずに」

瓢六は弥左衛門を玄関へ押し込んだ。

するとと、待ちかねたようにお袖が飛びだして来た。予《あらかじ》め知らせておいたのだろう。

「六さん、うれしい」瓢六の首にかじりつこうとして、所在なげに突っ立っている弥左衛門に目を止めた。「あれ、旦那」

「お役目を片づけねえと、二人っきりにしちゃあもらえねえんだとさ」

瓢六がいうと、お袖は流し目で弥左衛門をにらんだ。

「お預けとはまあ、旦那もお人が悪うござんすね」

「いや、拙者はなにも……」

「いいってことよ。時間はたっぷりあるんだ。なあ、お袖」

「えええ、あとでゆっくり、ねえ、おまえさん」

瓢六とお袖は熱い視線をからめ合う。居心地悪そうにそっぽを向いている弥左衛門に気づいて、

「フフフ、冗談ですよ。さ、旦那、お上がりくださいましな」

お袖は手桶を持って来て、かいがいしく男たちの足をすすいだ。

「酒と肴だ」

「あいよ。そうくると思って、伏見のお酒を用意しときましたよ」

お袖はいそいそと台所へ向う。

「おっと、お袖。こっちの旦那は下戸だ。茶を頼むぜ」

勝手知ったる家である。瓢六は弥左衛門をうながし、庭に面した奥座敷へ伴った。弥

左衛門を上座に据え、自分は下座へ座る。

独り暮らしの女の家が物珍しいのか、弥左衛門はあたりを見まわしている。

「で、旦那、今度は何をめっけりゃいいんで？」

「失せ物ではない。毒の正体を突き止めてもらいたいのだ」

「毒？」

瓢六は弥左衛門の顔を見返した。つい先日、牢内でも毒殺があったばかりだ。偶然とはいえ、何やら因縁めいたものを感じる。瓢六の眼裏に庄助の苦悶にゆがんだ顔が浮かんだ。

弥左衛門は、灌仏会の当日、両国回向院で十数人の参詣人に鬼がとりついた事件を話して聞かせた。

「調べに当たった者たちの話では、被害に遭った者はみな顔を紅潮させ、眉をつり上げ、目をぎらつかせておったそうでの。それゆえ、周囲の者たちは、鬼にとりつかれたと思った」

「目をぎらつかせて……」

「うむ。目ん玉が二倍も三倍も大きくなって、今にも飛びだしそうに見えたとか。首を振りまわしたり、訳のわからぬことを口走ったり、境内を駆けまわったりした者もいたそうでの」

瓢六は食い入るように弥左衛門の顔を見つめている。

「昏倒した者もいたというが、これは老人と子供だ」弥左衛門は眉をひそめた。「おぬしは異国の事情に詳しい。かような毒について、耳にしたことはないか」

瓢六は藤棚に目を向けた。風に吹かれて枝がしなうたびに、紫色の小花が踊る。

「ない、こともない」

弥左衛門は思わず身を乗りだした。

「あるのか。なんという毒だ」

「旦那の話だけじゃあ、たしかなことはいえねえが……」

瓢六が毒の名を口にしようとしたとき、お袖が酒と肴、それに茶を運んできた。肴は鮎の姿焼きに筍の味噌田楽、枝豆入りの卯の花に鰻巻き玉子という豪華版である。弥左衛門の膝元に恭しく湯飲みを置くと、お袖は瓢六の隣にぺたりと座り込んだ。銚子を取り上げて酌をする。金輪際《こんりんざい》、動く気はないらしい。

弥左衛門はお袖の横顔を盗み見て、ひそかにため息をついた。お袖は苦手だ。お上への畏敬の念が足りないのも困りものだが、何か意見をするたびに決まってやりこめられるのもしゃくの種である。

「して、その毒だが……」

弥左衛門は先をうながした。

瓢六が応える前に、

「なんです、毒って？」

お袖が口を挟んだ。

「お役目上の話だ。黙っていてくれ」

弥左衛門にいわれ、お袖はひょいと首をすくめる。

瓢六は盃を飲み干した。

「ベラドンナか、その類《たぐい》の毒草にちげえねえ」

「べら……なんと？」

弥左衛門が聞き返した。

「あれまあ、妙な名ですねえ」

またもや口を挟んで、お袖は弥左衛門ににらまれる。

「異国の草だ」瓢六はつづけた。「あそこにある藤みてえな紫色の小花を咲かせる。花のあとには赤い実をつける。ベラドンナってなァ『別嬪』てェ意味らしい」

「あら。なんで毒草が別嬪なんでしょ」

お袖が素頓狂《すっとんきょう》な声を上げた。

弥左衛門はお袖を横目で見ながら、

「わからぬでもないが……」

と、つぶやいた。

瓢六は笑いをこらえて、

「こいつは妙な草で、葉っぱや根っこの汁を目につけると目ん玉がでっかくなるんだ。異国の女どもが競ってつけたから別嬪というんだとさ。汁を飲むと血が湧き立つ。見えねえもんが見えたり、宙を駆けているような気になったり、昏睡することもあるそうだ」

弥左衛門は小躍りしそうになった。ベラドンナを飲用したときの症状は、回向院の参詣人の症状と酷似している。

お袖は銚子を取り上げ、瓢六の盃に酒を注ぎながら、

「このお酒がさ、べらなんとかだったらいいのにねえ」

と流し目をくれた。

「真先に試してみるんだけど」

「馬鹿いうない。これ以上、別嬪になられちゃあ、心配でおちおちしてらんねえや」

「フフ、おまえさんたら」

瓢六が盃を飲み干すのを、お袖は潤んだ目で見つめている。

弥左衛門には、もはや二人のいちゃつく姿など目に入らなかった。

「おぬし、そいつをどこで見たのだ」

「見ちゃあいねえよ。シーボルト先生から聞いたのさ」

シーボルトと聞いて顔色を変える。青くなってあたりを見まわした。三人の他にはだれもいないと再確認してほっと息をついたものの、弥左衛門はなおも不安とみえて、

「その名は禁句だぞ。おぬしとて、知らぬはずはあるまい」

と、小声で文句をいった。

フィリップ・フランツ・フォン・シーボルトはドイツ生まれの医師で、文政六年、阿蘭陀人になりすまして長崎へやって来た。七年には長崎の鳴滝に蘭学塾を開いている。

瓢六は当時、長崎の地役人を務め、唐絵目利き兼阿蘭陀通詞見習いをしていた。蘭学や本草学を学んだのもこの時期で、シーボルトはよき師の一人だった。

ところが一昨年、シーボルト事件が起こった。幕府天文方の高橋作左衛門景保《さくざえもんかげやす》がシーボルトにご禁制の日本地図を贈った事実が発覚、シーボルトは国外追放、高橋が投獄された事件だ。関係者も多数、処罰されている。以来、幕府は、異国に関連したものというだけでことごとく神経をとがらせていた。

「おいらが江戸へやって来た年だから四年前だ。御典医の土生玄碩《はぶげんせき》先生と一緒にシーボルト先生の官舎を訪ねたことがある。そのとき、ベラドンナの話が出たんだ」

文政九年、シーボルトは四カ月ほどかけて江戸参府の旅をした。ひと足先に江戸へ来ていた瓢六は、その際、土生玄碩と一緒にシーボルトを訪ねた。

「土生玄碩なら……」

「ああ。先生もとんだことになっちまった」

瓢六は重苦しい吐息をついた。

玄碩は、将軍から拝領した紋服をシーボルトに贈ったことが発覚して事件に連座、家屋敷没収の上、改易《かいえき》となっている。

瓢六の顔をよぎった苦悶の表情を、弥左衛門は見逃さなかった。瓢六は長崎で幕府の御用を務めていた。それが江戸へ出て一転、小悪党となり、博打場で召し捕られた。大商人や御典医、幕府の重臣相手の強請《ゆすり》に加担していた疑いが生じ、入牢となったのである。

瓢六の転変には、シーボルト事件が多少なりと影響しているのではないか――。だが、今はそのことを追及している暇はなかった。千歳茶に投入された毒、その解明が先である。

「して、その毒草だが、どこへゆけば手に入る？」

「異国に決まってらあ」

「我が国では入手できぬのか」

「いったろ、異国の草だと」

おっと肴がまずくなっちまわあ――瓢六は箸を取り上げた。鮎にかぶりつく。

弥左衛門は憤然とした。

「異国でしか手に入らぬ毒では問題にならぬ。拙者がいっておるのは、灌仏会の人込みでだれぞが千歳茶に入れることのできる毒を知らぬかと……」

「まあまあまあ」瓢六は弥左衛門の手に無理やり箸を握らせた。「だからよ、はじめにいったのさ。ベラドンナか、でなけりゃ、その類の毒じゃねえかと」

「似たような毒草が他にもあるのか」

「まあ、食いねえ」

「その前に毒草だ」

弥左衛門は箸を投げだした。瓢六は苦笑する。

「『本草綱目』に莨菪《ろうとう》って草が載っている。『力を益《えき》し、神に通じ、鬼を見せしめる』と書かれている」

「鬼!?」

「この草はベラドンナの同類だとシーボルト先生はいわれた。莨菪なら手に入る。俗にハシリドコロと呼ばれている草だ」

「はしりどころ……」

「目薬屋には置いてねえが、目医者、それも蘭医学を齧った目医者なら、たいがいは知ってる。見えにくくなった目ん玉を切開するとき、こいつを使うんだ」

「ひゃあ」お袖が悲鳴をあげた。「目ん玉を切るのかい。くわばらくわばら」

「虹彩切開手術とかいったな。ハシリドコロにも瞳孔を広げる働きがあるんだ」

弥左衛門は舌を巻いていた。上役の萱野は、瓢六の蘭学と本草学の知識を試してみようといったが、瓢六の知識が生半可なものでないことは火を見るより明らかだった。

なんて野郎だ——。

あらためて感嘆する。

瓢六に目をやると、あっけらかんとした顔で盃を重ね、片っ端から肴を平らげていた。その合間にすっと手を伸ばし、お袖の手や髪にふれるのは、さすがに色男の面目躍如といったところだ。

ぽかんと口を開けて見とれていると、瓢六は銚子を引き寄せ、お袖に盃を握らせた。酒をついでやる。くいっと飲み干すや、お袖は目元を赤らめた。しなを作って箸を取り、筍をつまんで、瓢六の口に入れてやる。

弥左衛門はあわてて視線を逸らせた。わざとらしく空咳をして、「その毒草のことだが」と、瓢六の注意を呼び戻した。

「昨年来、蘭学の取り締まりが厳しくなったは、おぬしも知っての通りだ。蘭医はお咎めを恐れて看板を下げ、息をひそめている。その者らに逢い、毒草の話を聞きだすには、ぜひともおぬしの助力が必要だ」

瓢六が、牢内、娑婆を問わず、おどろくべき人脈を張りめぐらせているのは、とうに証明済みだった。

「千歳茶に毒を投じた犯人を捕らえるは、おぬしの力にかかっておる」

役人が悪党に頼み事をするのは不本意だったが、成り行き上、やむをえない。

「聞いたか、お袖」瓢六はにやついた。「お上《かみ》がおいらに助っ人を頼むんだとよ。おいらもえらくなったもんじゃねえか」

お袖も忍び笑いを漏らして、

「お上はともかくさ、旦那に頼まれちゃあ、いやとはいえませんねえ」

弥左衛門を見て愛想笑いをして見せる。

二人にいいように弄ばれているような気がして、弥左衛門はおもしろくなかった。が、八重のこともある。短気は禁物。しかたなくうなずいた。

「おぬしの指図に従う。なんなりと申しつけてくれ」

弥左衛門がいうと、瓢六は盃を置き、居住まいを正した。

「今回の一件、おいらには目算がある。ちょいと動きゃあ、おそらく目星がつくだろう。ただし、動く前にひとつ、おいらの頼みをきいてもらいてえ」

弥左衛門はけげんな顔をした。

「なんだ、あらたまって？」

「牢屋敷の賄い所に、繁蔵という中間がいる。赤鬼みてえなやつだ。こいつの身元を洗ってもらいてえ」

「赤鬼？」

「それからもう一人、大牢に初五郎てぇ新入りがいる。こいつをどっか安全なところに移してもらえねえか」

「なにゆえさような……」

「訳はそのうちわかるさ」

「よかろう」

弥左衛門はしぶしぶながらうなずいた。

「なれば早速、明朝より探索にとりかかる」

今宵は水入らずで過ごせといって腰を浮かせる。ここで一晩、二人のいちゃつく姿を眺めているよりは、殺伐たる我が家へ帰って膝を抱えて寝たほうがましだった。

弥左衛門らしからぬ粋なはからいに、瓢六は目を丸くした。

「いいのかい、見張りをつけねえで？」

正月、それから三月と、瓢六が牢から出されたときは、二度とも岡っ引の源次が呼ばれた。戸外でふるえながら、ひと晩中、嬌声やあたりはばからぬ喘ぎ声、それとわかる物音などを聞かされるというありがたくない役目を仰せつかった。

「ほら、なんていいましたっけ。臼《うす》みたいな体つきの、五十がらみの親分。あの親分を呼ぶんなら、庭に火桶のひとつも出しておきましょうか」

お袖が言葉も添える。

弥左衛門は顔をしかめた。

「おぬしを解き放つとだれぞから聞いたらしい。急な腹痛で寝込んでおるそうな」

六

瓢六の指示に従い、弥左衛門は江戸市中を駆けまわった。何なりと申しつけよといった手前、否はいえない。一方の瓢六は何をしているのか、今そこにいたと思うと、もうどこかへいなくなっている。

湯屋へ行った帰りだろう、小ざっぱりとした瓢六が弥左衛門の家へ顔を出したのは、数日後のことだった。

弥左衛門とずんぐりむっくりした男が縁越しに話し込んでいると、

「おう、親分」

瓢六が庭からひょっこり入って来た。背中越しに声をかけられて、源次は「へっ」と飛び上がった。バツの悪そうな顔になる。

「腹痛は治ったのかい」

「へい。どうにか」

「女房にどやされて、仮病は返上したらしい」

弥左衛門は苦笑した。源次も照れ笑いを浮かべる。

「家で寝てるのもうっとうしいもんで。唸ってみせりゃあ、やれ医者だ薬だと騒がれる。かといって、よくなってきたといやァ邪魔者扱いだ。嬶《かかあ》の奴、ごろごろしてるくらいなら、ちったァお上のお役に立って来い、なんぞとぬかしやがるんで」

源次の家は島田町にある。女房のおよねは髪結いだ。

「で、幸太郎という男だが、それ以来、姿を見せぬのだな」

弥左衛門は話題を元に戻した。

「へい、さようで」

「家はわかったのか」

「熊井町の長助店《だな》に住んでおりやす。峰吉親分と一緒に足を運んでみやしたが、体の具合が悪いそうで寝込んでおりやした」

峰吉親分というのは、両国界隈を仕切る岡っ引である。

弥左衛門は瓢六に目を向けた。

瓢六は断わりもなく縁に上がり込んで、悠然とあぐらをかいていた。二人のやりとりに耳を傾けながら、袖のなかから取りだした長細い楕円形の草を噛んでいる。

「おぬしの指示通り、灌仏会の当日、回向院の門前にて青竹の椀を売っておった者たちについて聞き込みをさせた。宝船だの絵馬だの菖蒲太刀だの、季節によって扱う品はまちまちだが、縄張りがあるゆえ顔ぶれは変わらぬ。その者らがいうには、あの日は長助店に住む仲間の口利きで、幸太郎という初顔の男が混じっておったそうな」

「そいつの素性はわかったんで？」

瓢六の双眸に鋭い光が流れた。

「裏店では、商人《あきんど》の息子で、親から勘当されたってぇ触れ込みでさ」源次が応える。「だがどう見ても商人には見えねえ。武家の次三男ってな噂もあるようで」

「裏店には一人で住んでるんですかい」

「子はねえが嬶《かかあ》がいる」

瓢六がじっと考え込んでいるのを見て、弥左衛門は身を乗りだした。

「そやつが犯人か」

事件のあらましを聞いて、瓢六が真先に目をつけたのは青竹の椀だった。残った千歳茶に毒はなかった。それなら椀に入っていたと考えるしかない。そこで弥左衛門に青竹売りの身元を洗ってくれと頼んだ。初顔の男だからといって犯人だと決めつけるわけにはいかないが、「どう見ても商人には見えねえ」といった源次の言葉が、瓢六の忘れかけていた記憶を呼び覚ましたのである。

「確証はねえが、どうもそんな気がする」

「源次。そやつの家を虱《しらみ》つぶしに調べろ」

弥左衛門に檄《げき》を飛ばされ、源次は勢いよく飛びだそうとする。

「待ちねえ」瓢六は噛んでいた葉をひゅっと吹き飛ばした。葉は源次の顔に命中した。

「今さら調べたって遅いや」

「なぜだ？　毒草が見つかるやもしれん」

「見つかるもんか」

行こうか行くまいかと突っ立ったまま、源次は、物珍しそうに葉っぱを眺めている。

「こいつはなんの葉で？」

「ハシリドコロさ」

「はしり、どころ？」

「だからよ、千歳茶に入っていた毒さ。煎じて呑むと、鬼がとりつく」

「ひえッ」

源次は目をむき、葉っぱを放りだした。折からの風にあおられ、葉は弥左衛門の膝元に舞い落ちる。つかみ上げようと一旦は手を伸ばしたものの、弥左衛門もあわててその手を引っ込めた。

「葉っぱくれえでびくつくない」瓢六は二人の動転ぶりをおもしろそうに眺めている。「それより幸太郎てェ奴の素性を調べることさ。もっともおいらは先刻お見通しだが」

弥左衛門は目をみはった。

「なぜ吟味もせずにわかるのだ」

「唐絵を描くなァ支那人。かすていらを食うなァ阿蘭陀人。ハシリドコロを使うのは、目医者と相場が決まってらあ」

七

翌日、瓢六と弥左衛門は長助店へ赴き、幸太郎の家を訪ねた。応対に出たのは女房のおひさで、八丁堀の旦那とわかる弥左衛門のいでたちを見ると、あきらかに狼狽の色を浮かべた。亭主は病で寝ついている、話は表でうかがいましょうと、先に立って路地へ出る。

薄暗い家の中で見せた狼狽は、裏店の木戸をくぐるときはもう消えていた。おひさはゆるぎない足取りで、二人を先導した。

大川べりの人けのない空き地まで来て、一行は足を止めた。

今にも降りだしそうな曇天である。

おひさはくるりと振り向き、深々と頭を下げた。

「おひささん、といったっけ」

真先に口を切ったのは瓢六だ。

「ハシリドコロの根っこを磨り潰した粉を、油にまぜて椀の底に塗りつけたね」

「はい」

「毒と知ってのことかい」

おひさははじかれたように顔を上げた。

どこにでもいそうな平凡な顔だちの女だ。やつれた顔には生活苦が滲み出ている。だが瓢六の顔を見返した目は大きく、涙にぬれて、まるで「ベラドンナの目」のようだった。

おひさが首を横に振るのを見て、今度は弥左衛門が詰問した。

「おまえは亭主を庇うておるのではないか」

「いいえ。わたくしが一人でやりました」

おひさは頑《かたくな》にいいはったが、瓢六は取り合わなかった。

「椀を作っているとき、どちらからともなくいいだしたのさ」

「ちがいます。あの人はなにも……」

「いいってことよ。やったのがどっちだろうとかまやしねえ。お上はおめえさんたちを引っ立てやしねえよ」

「おいおい」弥左衛門はおどろいて、「勝手なことをいうな」と、瓢六の袖を引っぱった。

「それじゃあ旦那は、こいつらを召し捕るつもりかい」

「当たり前だ。毒を塗った椀を売り、参詣人を狂乱させたのだぞ。それも一人二人ではないのだ」

「だが、命を落としたもんはいねえ。昏倒したとかいうもんも、とうに目覚めて、今じゃあピンピンしてるっていうじゃあねえか」

「そうにはちがいないが、市中を混乱させた罪は重い」

瓢六は「へっ」と肩をすくめた。

「混乱させたなァこいつらじゃあねえ、お上だ」

「な、なんだと？」

弥左衛門は泡を食ってあたりを見まわす。が、瓢六は動じなかった。

「地図だか紋服だか知らねえが、シーボルト先生にたかが土産をやったてんで大騒ぎ。玄碩先生の弟子・孫弟子はもとより、蘭方医というだけでにらまれる。お陰で市中は大混乱だ」

瓢六はおひさに目を向けた。おひさは当惑したように二人の顔を見比べている。

「昨日、ちょいと首実検をしてみた。おめえさんの亭主は安井幸太郎。長崎で蘭方を学んだ腕のいい目医者だ。ところが江戸へ戻って、蘭方医のもとで腕を磨いていたところへ例の事件が起こった。お上ににらまれ、廃業に追い込まれて、裏店へ紛れ込んだ。手内職で食いつなぐなァ、さぞやきつかったろうな」

幕府の締めつけはきびしくなる一方だった。少壮の夢を絶たれた幸太郎の心はすさみ、酒に溺れて病に倒れた。顔色が目に見えて悪くなり、食が滞るようになったのは今年になってからだと、おひさはあとをつづけた。

「あの人は、余命いくばくもないのです」

大川の流れを見つめながら、おひさは静かにいった。

「あの人には目の不自由な妹がいました。子供の頃から、大きくなったら目医者になって妹の目を治してやろうと心に決めていたのだそうです。ですが、貧しい御家人の三男ゆえ、長崎で医学を学ぶのは並大抵の苦労ではなかったと申します。直弟子ではありませんが、玄碩先生にもお目をかけていただき、ようやくこれからというときに、あのようなことに……」

先日もかつての同僚が捕らえられ、所払いとなった。自分も身元を知られれば、あらぬ疑いをかけられるやもしれぬ。自暴自棄になった幸太郎は、いつかまた使う日がくるかもしれないと後生大事にとっておいたハシリドコロを、青竹の椀に塗り込め、棄てることを思いついた。病を押して灌仏会に出かけて行ったのは、お上へのささやかな抗議のあらわれである。万にひとつ、仏の御前で騒ぎが起こり、お上が翻弄されれば、それこそちょうどよい見せしめになる。

「なるほど。けど鬼くれえじゃ、お上はおどろかねえ。おいらみてえな小悪党に探索を押しつけて、太平楽に高みの見物てなもんだ」

瓢六は憎まれ口を叩いた。弥左衛門ににらまれ、ぺろりと舌を出す。

「どうか、あの人だけは……」

おひさは両手を合わせた。幸太郎は死病に罹っている。

「案ずるこたァねえ。こちらの旦那は話のわかるお方だ。慈悲深さにかけちゃあ、奉行所随一。蟻だって踏みつけねえよう避けて通るくれえのもんだ。病人や女をお縄にしたりはしねえよ。なあ、旦那」

瓢六は一気にまくしたてた。弥左衛門に口を開く隙を与えず、「照れるこたァねえや。慈悲深いなァ一番の宝だぜ」と、たたみかけると、おひさに視線を戻した。

「この旦那はな、人徳がある。人徳があるから女にもてる。顔は鬼瓦《おにがわら》みてえだが、心は仏だ。おめえさんも、よおく拝んどくんだな」

おひさは弥左衛門に向き直り、深々と辞儀をした。

「そんなら、もう行きな。亭主が待ってるぜ」

瓢六はひらひらと手を振った。

おひさは小走りに駆けだした。

弥左衛門は呆然と突っ立ったまま、おひさの後ろ姿を見送った。

「さあてと、帰ろうぜ」

瓢六にうながされ、弥左衛門は我に返った。

「この始末、どうするつもりだ」

「どうもこうもねえ。ぐずぐず先延ばしにしておくさ」

「期限は今月末だ。十日後には、菅野さまに報告せねばならぬのだぞ」

瓢六は肩をすくめた。

「神に通じ、鬼を見せしめる——覚えてるだろ。『本草綱目』に書かれているハシリドコロの効能だ。つまり毒がハシリドコロとなりゃあ、犯人は鬼と相場が決まってる。花祭に浮かれた鬼が天から毒薬をばらまいた、とでもいっておくんだな」

八

春雨。

二人の計略に、雨はお誂え向きである。

大日坂を北へ行き、賄い方組屋敷の路地を曲がったところで、瓢六と弥左衛門は足を止めた。傘をすぼめ、道端の欅の大木の根元にうずくまる。

「ぬかりはねえな」

瓢六は目くばせをした。

「むろんだ」

応えた弥左衛門は、いつもとは別人のように威勢がいい。

「もういっぺん、いってみな」

「お怪我はござらぬか。濡れると風邪をひく。さ、これを」

よどみなくいうと、弥左衛門は羽織を脱ぐ真似をしてみせた。頬が紅潮し、目がらんらんと輝き、体中に気力がみなぎっている。それもそのはず、恋というだけで臆病になる相棒に業を煮やした瓢六が、白湯と一緒に微量のハシリドコロを呑ませたのである。微量のハシリドコロには、『本草綱目』でいうところの「身体を軽くし、健脚になり、志を強くし、力を益す」効果がある。

「へへ、上出来だ。いいかい旦那。おいらがぶつかったら、すぐに飛びだすんだぜ」

「合点承知」

路地の奥に、八重の通う華道の師匠の家がある。この日は八重の稽古日だった。弥左衛門が姪っ子の朋代から聞きだしたのである。

問題は、八重に付き従っている年増女中だ。本来なら八重が一人になる機会を待ちたいところだが、こちらも期限付きの身。悠長なことをいってはいられない。

「お、出て来た。用意はいいな」

「待て。ちと乱暴すぎはしまいか。もしや怪我でもされたらどうするのだ」

「今さらぐだぐだいうない」

八重と女中は、連れ立ってこちらへ歩いて来る。

瓢六はひょいと尻はしょりをした。木陰から躍り出ると、不安定な恰好で水溜まりを右左と交互に飛び越しながら歩きはじめた。昼日中からほろ酔い気分といった按配である。すれちがった刹那、瓢六は水溜まりを避け損ねたふりをして大きくよろけた。勢いよく八重をはね飛ばし、ついでに女中にぶつかってできるだけ遠くへ引きずり、一緒くたに地べたへ倒れ込んだ。女たちの悲鳴が上がり、蛇の目傘がすっ飛んだ。

ここまでは、計画通りだった。

赤鬼と見紛う弥左衛門が路上へ飛びだす。と、水溜まりに足をとられ、つるりとすべった。かろうじて転倒は免れたものの、たたらを踏んでいる間に、別の男が路地の反対側から飛びだした。しかもその男は、八重のもとへ駆けつけ、腕をとって助け起こしたのである。

弥左衛門は絶句した。臼のような体つきをした男――源次ではないか。

「怪我はねえかい。濡れると風邪ひくぜ」

源次はふところから手拭いを出して、八重の着物を拭いてやった。

一方、瓢六の体の下では、年増女中が金きり声をあげてもがいていた。

「無礼者。おどきなされ」

女中の声に遮られ、瓢六は源次の声を聞き逃した。八重を助け起こしたのが弥左衛門だとばかり思い込んでいる。邪魔な女中を八重から引き離しておこうと必死だった。

体が動かぬふうを装い、なおも女の上でばたついていると、突然、腕をつかまれた。

強引に女中の体から引き離される。

「なにさ、どさくさにまぎれて」

「お袖！」

「源次親分がどうも妙だというんであとを尾《つ》けて来たのさ。そしたら、どうだい？　わざとよろけてぶつかったんだね。あたしの目はごまかせないよ」

お袖は阿修羅《あしゅら》のような形相で瓢六をにらみつけた。

「ち、ちがうんだ。これには訳が……」

いくら瓢六が女好きとはいえ、押し倒した相手は五十近い年増の女中である。誤解も甚《はなは》だしいと思ったが、お袖は年増だろうが老婆だろうが、女と名がつけば悋気が生じる質《たち》である。

瓢六はあわただしくお袖をなだめ、あらためて地面に這いつくばって、

「すまねえ。この通りだ。堪忍してくれ」

と、女中に頭を下げた。

男前の瓢六に頭を下げられ、女中の表情はわずかながら和らぐ。しなをつくって、乱れた裾を直しているところへ、

「おくめ、大丈夫？」

と、八重が声をかけた。濡れた着物を気にかけながら、小走りに駆けて来る。八重に傘をさしかけた源次があとにつづき、さらにそのあとから、袴の裾をたくし上げた弥左衛門が興奮冷めやらぬ顔で従う。

「お嬢さまこそ、お怪我はございませんか」

八重に駆け寄ろうとして、おくめはけげんな顔をした。無理もない。見知らぬ男に突き飛ばされて転倒した。起き上がったら、雨後の筍のように、四人の男女がまわりに突っ立っていたのである。

「何なんです、おまえさん方は？」おくめは壊れ物を抱くように、八重を引き寄せた。

「これはいったい、何の真似ですか」

「真似って、おいらがうっかり蹴つまずいて……」

おくめの剣幕に、さすがの瓢六もたじたじとしている。

「水溜まりに足をとられたんですよ」悋気を収めると、お袖は瓢六の援護に出た。「この人だってわざとしたことじゃないんです。着物のお代なら、あたしがお払いしますよ」

傘を拾い上げ、おくめに差しだす。

おくめは傘をひったくった。

「芸者風情からお代などもらえますか。いいからもう、退散しておくれ」

その言葉にお袖は逆上した。

「芸者のどこが悪いのさ。貧乏御家人の使用人なんぞに、とやかくいわれたかないね」

威勢よく啖呵《たんか》をきる。おくめも負けてはいなかった。

「無礼な。このことが旦那さまのお耳に入ったら、ただでは済みませんよ」

「ああ、いいさ。ただで済まなけりゃ、好きに値をつけとくれ。冬木町のお袖は逃げも隠れもしないよ。詫びに来いってんなら、いつだって行ってやる。旦那にそういっときな」

まあまあまあ、と、源次と瓢六が二人の女を引き分けた。

足早に帰りかけて、おくめははじめて弥左衛門に目を止めた。

「おやまあ、鬼かと思えばいつぞやの……」

またあの男かと、おくめはいぶかしげな顔になった。廃屋の庭を覗き、八重を見初めたあのときの、不審な様子を思いだしたのである。

おくめの言葉につられて、八重も弥左衛門を見た。食い入るように自分を見つめる双眸に出会い、恥じらうように視線を落とした八重を見て、弥左衛門は「あッ」と息を呑んだ。八重の視線はむきだしの脛に釘付けになっている。

今にも飛びかからんばかりの形相で突っ立っている姿も異様だが、何のまじないか、紅く塗りたくった脛も、この世のものとは思えない。

「参りましょう」

おくめは弥左衛門をきっとにらみつけた。傘を傾げて八重を隠し、急《せ》き立てるように去ってゆく。

八重が目にしたものに気づき、弥左衛門はまたもや絶望の淵に突き落とされた。たくし上げた裾を下ろし、呆然と空をあおぐ。

「次があらァな」

瓢六は、弥左衛門の肩をぽんと叩いた。

「次ってなんです？」

お袖が訊ねる。

「御用の向きですかい」

源次も訊ねる。

「ま、そんなようなとこさ」

一同はそろって小日向坂を下る。江戸橋の手前で深川へ帰る三人と別れ、弥左衛門はひとり八丁堀へ向かった。我が家の木戸門をくぐろうとしてぽつんとつぶやく。

「幸太郎といったか……。あの目医者の気持ちがよくわかった」

がんばってがんばって、歯を食いしばってがんばって、ようやく手が届くかに思われたものが目の前で霧散してゆく虚しさは万死に値する——。

いつのまにか雨足が激しくなっていた。

弥左衛門の目のなかにも雨煙がたちこめている。

九

「ほう。鬼か」

菅野は唇をゆがめた。笑いを嚙み殺しているらしい。

嫌な予感にとらわれたものの、弥左衛門は神妙な顔で後をつづけた。

「花の祭に浮かれ出て、天から毒薬をばらまき……」

「……お上に一矢《いっし》報いようとした」

「は？」

弥左衛門が目をみはると、菅野は破顔した。

「安井幸太郎と名乗る目医者の遺書が届いた」

「遺書？」

「友に預けていたのだ。自分が死んだら奉行所へ届けてくれといったそうだ。遺書には、例の騒ぎの一部始終を書き記し、非は己一人にある、妻女は預かり知らぬことだとあった。万にひとつ、妻女に疑いがかかっては死んでも死にきれぬと思ったのだろう」

「もしや、安井は死んだのですか」

「一昨日の晩だ。心労と飲酒で体の中が腐れておったそうな」

弥左衛門は太い息をついた。体の力がぬけてゆく。

「友と申すは、目医者の仲間でしょうか」

「いや。長崎におった頃の友だそうでの」菅野は眸を躍らせた。「その友が再入牢の際、牢役人に遺書を手渡した」

「再入牢？」

弥左衛門は口を開けかけ、顎《あご》がはずれたかのように上役の目を見返した。

菅野はうれしそうにうなずく。

「安井と瓢六は、共に蘭学を学んだそうな」

弥左衛門は絶句していた。

瓢六は昨日、牢へ戻った。自分と幸太郎が友だったとはひと言も漏らさなかった。蘭学がからむことゆえ、弥左衛門の身にとばっちりが降りかかるのを避けようとしたのか。探索を引き延ばし、私事にうつつをぬかしていた事実がばれぬようにと気をまわしたのか。いずれにせよ、よかれと思ってしたことだろう。

そんなこととは知らず、弥左衛門は瓢六の言葉を真に受け、「鬼が浮かれた」などとまぬけ面《づら》で上役に報告した。

まんまとしてやられたか——。

こしゃくな、と、思ったが、不思議に腹は立たなかった。代わりに肚の底からふつふつと笑いがわいてきた。

弥左衛門が茹《ゆ》で蟹のような顔で笑いを堪えているのを見て、菅野は吹きだした。弥左衛門も堰をきったように哄笑する。

ひとしきり笑うと、菅野はぐっと顔を寄せ、

「尚後《こうご》も、難題は瓢六に限るの」

と、ささやいた。不謹慎にも、奉行所はこの先も、牢内の小悪党の力をあてにしようというのだ。

だが「慣れ」は恐ろしい。上役の言葉を聞いても、弥左衛門は顔色を変えなかった。

「瓢六は当分、放免するわけにはゆかぬ、ということですね」

「さよう」と、菅野はうなずいた。「じゃが、次の月番には、今一度期限つきで解き放ってやろう。ふたつ同時に手柄をたてた褒美だ」

「ふたつ？」

「うむ。牢屋敷の賄い所で働く中間、繁蔵は、先月、六間堀の札差を襲うた盗賊、天狗《てんぐ》火《び》の一味であることが判明した。あの捕物で生け捕りとなったは初五郎ひとり。やつらの隠れ家は依然不明のままだった。繁蔵は初五郎の口を封じるために送り込まれたのだ。繁蔵の線を辿って、天狗火一味を一網打尽にした」

そういえば、瓢六に頼まれ、繁蔵の身元を洗うよう指示を出したが、灌仏会の事件で手いっぱいだったので、その件は同僚の粕谷平太郎に任せていた。

それにしても、瓢六はなぜ、繁蔵に目をつけたのか。

大牢で毒殺されたのは、巾着切の庄助。瓢六は庄助の死を初五郎につなげ、さらに繁蔵に目をつけた。目利きの目は瑕瑾《かきん》を逃さぬというが――。

目ん玉の切開ができるなら、やがては頭の切開もできるようになるやもしれぬ。瓢六の頭のなかをぜひとも覗いてみたいものだと、弥左衛門は思った。

「うっとうしい季節だのう」

事件のことなどもう忘れたように、菅野は太平楽な顔で梅雨の庭を眺めている。

「その悪僧がよォ、張柱ってェ野郎の嬶に横恋慕したと思いねえ」

瓢六は独演会の真っ最中である。演目は、支那を舞台にした血も凍りつく物語。夏物の単衣に着替えた囚人どもは、車座になって、瓢六の話に聞き惚れていた。

「で、張柱の一家を招いて、毒薬入りの飯を食わせたんだ。みんながころんと眠っちまったところを見計らって、その妻を押し倒し……」

囚人どもは目を輝かせ、ごくりと唾を呑み込む。

「やっちまったのか」

初五郎が訊ねた。もう新参ではない。いっぱしの囚人である。

「あったりめえよ」瓢六は小鼻をうごめかせた。「それだけじゃあねえ。ことが終わると悪僧は張柱の耳に毒薬を吹き込んだ。するとどうだ。張柱は鬼にとりつかれ……」

「……家族を皆殺しにしてしまった。正気に戻った張柱の驚嘆はいかばかりだったか」

一同はおどろいて松庵を見た。贋医者はにやりと笑って、

「毒薬は莨菪。『本草綱目』に載っておる話だ」

と目くばせをした。

瓢六はくつくつ笑いだす。

「莨菪はハシリドコロ、異国なら、ベラドンナだ」

地獄は早くも夏の真っ盛りである。明かり取りの窓から覗く空は青い。むせ返るような熱気のなかで、笑いがはじけ、汗が飛び散る。

名主の雷蔵はむくりと体を起こした。鬼の目ならぬ糸のような目で、下界の喧騒を見渡した。

虫の声

一

くぐり戸をくぐった瞬間、妙な気配がした。

毒蛇の巣窟に迷い込んだような……。紅い舌をちろちろ動かしながら、敵意に満ちた視線を射かけてくる蛇。

仄暗い牢獄には無数の囚人がうごめいていた。頭をもたげる者、上半身を起こす者、一畳に数人詰め込まれて座したまま寝ている者たちは、首をまわし、目だけを向けていっせいにくぐり戸を見る。まさに鎌首をもたげ、四方八方から襲いかかろうとする蛇さながらだ。

これまでに五回、牢を出たり入ったりしているが、こんなことははじめてだった。

町奉行所には北町と南町があり、月番で捕り物に当たる。正月以来、北町奉行所の当番月になると瓢六は牢から出され、定廻り同心・篠崎弥左衛門の助っ人を務めている。今月もお上の御用を務めた。抜け荷にかかわる事件ならお手のもの。あっけなく首謀者をお縄にした。しかも十五夜には、情婦のお袖と水いらずで船遊びを楽しむというおまけつきである。

今宵は八月晦日。

久々に戻ったところがこの有り様だ。

敵意の吹き矢を浴びながら、瓢六は奥まった一劃へ向かった。牢内の身分は客分で、三枚重ねの畳をねぐらにしている。

定位置にあるはずの畳がなかった。

「おや」と首を傾げ、最奥にある牢名主のねぐらを見上げる。

いつもなら、雷蔵は終日、九枚重ねの畳の上に寝ころんでいた。でなければあぐらをかき、腕を組んで、瞑想にふけっている。ぼうぼう眉の下の動かぬ目は茫洋として何も見ていないように見えるが、実は深遠なまなざしで下界を睥睨《へいげい》していた。口はめったにきかない。差しだされた銭は手妻のような速さでひったくる。だが雷蔵の託宣には千鈞の重みがあり、囚人どものゆるがぬ要《かなめ》となっていた。

雷蔵はいなかった。九枚重ねの畳の上には、牢名主の名代、〝頭《かしら》〟がのうのうと寝そべっていた。

頭は勝五郎という名で、のっぺりした顔のこずるそうな男だ。雷蔵の前では揉み手をして機嫌ばかりとっている。そのくせ陰にまわれば四人いじめに余念がない。

いつだったか勝五郎が新入りの銭をかすめとるのを見て、瓢六は食ってかかったことがあった。

――名主に知られたくなけりゃあ、返してやるんだな。

勝五郎は銭を返し、くどくど言い訳をしようとしたが、瓢六は相手にしなかった。

――裏表のある奴ほど嫌なものはねえ。反吐《へど》が出らあ。

以来、口をきいたことはない。

瓢六の視線に気づくと、勝五郎はにやにや笑いを浮かべた。こっちへ来い、と、顎をしゃくる。これまでとは別人のように、横柄な態度だ。

やむなく歩み寄る。

「戻って参りましたと、真先に挨拶をするのが筋じゃあねえのか」

勝五郎はねめつけるような目で見下ろした。

瓢六は動じない。

「名主はどうしたんだ」

平然と頭の顔を見返す。

「溜《ため》へ送られた」

「溜?」

さすがに息を呑んだ。

溜とは、牢内で重病に罹った者を収容する場所である。浅草と品川の二箇所にあった。病人相手だから警備は手ぬるい。重病をよそおって溜送りとなり、隙を見て逃亡しようという輩《やから》もいないではなかったが、まわりは病人だらけだ。牢獄より待遇がよいとはいえ、不衛生にはちがいなく、看護も行き届かない。本物の重病人ならまず生きては出られないから、溜送りは墓場送りとして忌み嫌われていた。

雷蔵は見るからに頑健だった。あの雷蔵が重病に罹るとは信じがたい。

「腹でもこわしたのか。それとも風邪でもこじらせて……」

呟き込むように訊ねると、勝五郎はぺっと唾を吐いた。

「夜中に胸が苦しいといいだした。翌朝には溜へ送られた」

大半の囚人は、牢内の臭気と粗末な飯のために牢役病に罹る。その都度、溜へ送っていては収容しきれない。月に一度、医者が往診にやって来て、回復の見込みがないと認められた場合に限り、囚獄（牢屋奉行）の許可を得て、溜送りとなる。一夜苦しんだだけで翌朝溜へ送るとは、ずいぶん手まわしのよい話だった。

勝五郎は相変わらずしまりのない笑いを浮かべている。

「名主はよォ、おめえを怨む、といい残して行ったぜ」

「怨む？　名主がおいらを？　どういうことだ。おいらが何をしたってんだ」

「さあ、知らねえな」

瓢六は雷蔵の顔を思い浮かべた。

雷蔵が瓢六を客分としたのは、銭があったからだ。が、銭のせいだけかといえば、それだけではないような気がする。

雷蔵は他人に心を開かない。自分のことはいっさいしゃべらないし、人にも関心を払わない。それでも瓢六は、自分を見る目や言葉の端々に、余人には見せない好意を感じることがあった。牢獄へ戻れば、娑婆へ出ていざ探索だといえば、それとなく手がかりを示唆してくれる。さりげなく労《ねぎら》いの言葉をかけてくれる。

その雷蔵が、自分を怨んでいるとは初耳だった。

留守の間に、いったい何があったのか。

「そういうことだからよ」勝五郎はおもむろに体を起こした。「おめえはもう客分じゃねえ」

いいながら足元の畳を見る。

牢獄には、総取締り役の名主の下に、一番役とも呼ばれる頭、二番役から五番役、平《ひら》の囚人の頭である下座本番、台所役の下座本助番、さらには雪隠《せっちん》を預かる詰の本助番や五器《ごき》、口役、親方帳役、頭《あたま》役など、十二の役が定められていた。役付きの座は、名主の座の下方に敷かれた畳の上である。

勝五郎に目くばせをされ、二番役の峯吉《みねきち》が腰を上げた。二番役とは外部との交渉役で、名主の手足ともなる側近である。

「こいつを連れて行け。鍛えなおしてやるんだな」

瓢六は囚人の群れのなかへ放り込まれた。ぎゅうぎゅう詰めで横になるだけの余裕がないので、夜も座ったまま寝るという窮屈きわまりない場所だ。

嫌だとごねて暴れることもできた。が、無駄だとわかっていた。勝五郎と峯吉だけなら簡単にやっつけられるが、囚人どもは、雷蔵の怨みを買った瓢六に敵意をつのらせているらしい。おびただしい数の囚人が相手では勝ち目はない。

やむなく腰を下ろすと、前後左右に他人のひざ頭や尻、太股がぴたりとくっついた。耐えがたい圧迫感。不快感。屈辱感。汗じみた体臭や人いきれで息が詰まりそうだ。

人はだが、劣悪な状況にも馴染んでしまうものらしい。囚人たちは座ったまま、船を漕ぎ、鼾《いびき》をかき、寝息をたてていた。

「名主だが、何の病だったんだ」

左の囚人に訊ねる。はじめて見る男だ。頰がこけ、顎のとがった囚人は、怯えたように身をすくめ、そっぽを向いた。

同じことを右の囚人にも訊ねてみる。やはり、返事はなかった。

瓢六は目を閉じた。

どこからか虫の声が聞こえた。鈴を鳴らすような、涼やかな音色――。

牢屋敷は日本橋にある。二千七百坪あまりの広大な敷地は乾いた土に覆われ、草木は数えるほどしかない。そもそも江戸の中心地では、昨今、虫の数が激減していた。秋風がたちはじめるや、虫売りが籠に入った虫を売り歩く。

はじめは空耳だと思った。が、思いなおした。格子の隙間から迷い込んだのかもしれない。ここが地獄だとも知らずに……。

耳を傾けているうちに眠くなった。寝苦しい、浅い眠りだ。

うつらうつらしたと思ったら、いくらも経たないうちに叩き起こされた。牢獄の朝は早い。掃除当番の囚人が床や便所の掃除をはじめ、残る囚人は、手足が萎えぬよう、列になってぞろぞろ牢の中を行進する。

けっ、牛馬じゃああるめえし――。

瓢六は肩をすくめた。

追い立てられて歩くなど、まっぴらごめんだった。他人の意のままに動かされるのは大嫌いだ。それが嫌だからこそ、目利きをやめて小悪党になった。

不自然な恰好で寝たので、首から肩が凝っていた。足腰もしびれている。知らん顔で寝そべっていると、峯吉が血相を変えて飛んで来た。

「てめえ、なんで頭のお達しに従わねえ」

唾を飛ばしてわめきたてる。

「足がいやだというんだ」

「いうことをきかねえと、ひどい目に遭うぞ」

「おいらじゃあねえや。足にいってくれ」

峯吉は舌打ちをして、頭を見上げた。

「馳走《ちそう》してやんな」

「何本で？」

「五本。いや、十本」

〝馳走〟とは叩きの刑のことである。

勝五郎の合図で、囚人からはぎ取った衣類を預かる三番役、食事や朝夕の寝起きを取り締まる五番役の二人が瓢六の両腕をつかんだ。頭の前に引きだし、うつぶせにする。

峯吉が背中にキメ板を振り下ろした。

瓢六は歯を食いしばって激痛に耐えた。

「食い足りねえようだ。もう十本馳走してやんな」

さらに十回、キメ板が振り下ろされた。最後の一打が終わるや、峯吉はよろめき、荒い息を吐いて尻餅をついた。

三番役、五番役が、再び瓢六を抱え、隅の暗がりに投げだす。

瓢六は呻いた。背中に焼け板をあてがわれているようだ。空腹と痛みで吐き気がした。うずくまっていると、肩先にそっと手が置かれた。

「おう、松庵か……」

松庵は初老の贋医者である。婆婆では医者を騙《かた》って商家や武家に入り込み、こそ泥まがいのことをしていたというが、本草学に造詣が深く、同じく本草学を学んだ瓢六とは妙にウマが合う。

「こいつァひどい。当分動けねえな」

「それより、名主のことだが……」

「胸の発作だとだれもが思っているが、わしの目はごまかせねえ。あれは仮病だ」

「どういうことだ？　おいらを怨むといい残したそうだが」

「そうらしいな」

瓢六は雷蔵に畏敬の念を感じていた。怨まれるようなことをした覚えはない。第一、ここしばらく、牢を留守にしていたのである。

「だれかに何か吹き込まれた、ということか」

「たぶんそういうことだろう」

それにしても妙な話だった。仮病なら、なぜ牢番は雷蔵を溜に送り込んだのか。これは雷蔵だけの問題ではなさそうである。

「もうじき牢番が来る。牢番なら何か知っているはずだ」

ふところを探った。あるはずの銭が消えていた。

瓢六が狼狽するのを見て、松庵は耳元に口を寄せた。

「銭があっても無駄だ。牢番は新米だ。頭に手なずけられている」

「そんなら奉行所に知らせをやって……」

「だれが知らせを届ける？　それに、今日から九月だ」

北町奉行所の当番は昨日まで。九月は非番だ。運良く知らせが届き、弥左衛門を呼びだしたところで、果して駆けつけてくれるかどうか心もとない。

「このままじゃあ済まねえぞ。油断するな」

松庵は袖口から小さな入れ物を出して、素早く瓢六の手に握らせた。

「塗ってやりてえが……」

名主の塒《ねぐら》に目をやる。勝五郎がじっと二人を眺めていた。

そろそろ飯の時刻だ。牢内はざわついている。

「いいってことよ」

「すまねえな」

松庵はそそくさと去って行った。

物相飯《もっそうめし》が運ばれ、囚人どもは我先にかぶりつく。

瓢六は歯ぎしりをした。

背中はは れ上がり、みみずばれが走って、血だらけになっているにちがいない。が、背中の痛みより烈しい痛みが胸を苛《さいな》んでいた。訳も知らされず、弁明の機会も与えられず、信頼し好意を感じていた人間から怨まれる。これほど理不尽で胸の痛むことが、この世にあろうか。

いたたまれなかった。

といって、どうすればよいのかわからなかった。

ここは悪意に満ちた毒蛇の巣窟である。逃れるすべはない。

深々と吐息をもらした。

目を閉じ、唇を嚙みしめると、口中に血の味が広がった。

二

「ねえったらねえ。どうしてくれんですよォ」

八丁堀にある弥左衛門の役宅の玄関先で、お袖ががなりたてていた。

「どう、といわれても……」

弥左衛門は及び腰である。

裾模様のある路考茶《ろこうちゃ》色の小袖に黒繻子の帯をしめ、髪を島田に結って高下駄を履いたお袖は、小股の切れ上がった別嬪である。だが弥左衛門の目に映るお袖は、つかみどころがなく、からみついたら離れず、いつ飛びかかってくるかわからぬ蛇のようなもの。もっとも苦手とする類《たぐい》の女だった。

「まだ十日ではないか。別段、どうということは……」

お袖は眉をつり上げた。

「もう、十日ですよ。十日にもなるのに、文の一枚、言伝《ことづて》のひとつもないなんて」

「あやつは人気者ゆえ、いろいろとその……多忙なのだ」

「ふん。牢のなかで多忙もへったくれもあるもんですか。あの人はね、これまで二日と上げずに文をくれたんですよ。文でなければ言伝を。おまえのことばかし考えてる。おまえの顔が見たい。おまえはどうしているのかってそればかり……」

弥左衛門は苦笑した。歯の浮くような言伝を年がら年中届けなければならない牢番こそ、いい面《つら》の皮である。

「ねえ旦那、様子を見て来てくださいよォ」

「しかし当月は非番ゆえ……」

のこのこ出て行けば、南町のやり方にけちをつけるようで反感を買う。それでなくてもこのところ、両奉行所の関係は芳しくなかった。北町が大牢の囚人を使って次々に難事件を解決するので、南町の面々は焦りを感じているらしい。

「だったら、見殺しにするんですか」

お袖は一歩も退かない構えである。

「見殺しとは聞き捨てならぬ。事あらば、牢番から知らせが入るはずだ。何もないのは平穏な証拠」

「牢番などあてになるもんですか」お袖は弥左衛門をにらみつけた。「ほんとだったら、正月に手柄をたてたとき、牢から出られるはずだったんだ。それがいまだに牢にいるのはなんのためです？　お上の御用を務めるためじゃあないか。使うときだけ使っておいて、用がないときは、知らん顔をするんですか」

「瓢六を牢内に留め置くことは、そなたも承知の上ではないか」

「あのときはあのとき。気が変わったんです。とっとと出してくださいよ」

瓢六とお袖は相思相愛の仲である。が、瓢六は根っからの女好きだった。その上、役者にしたいような色男だから、女が放っておかない。誘われればすぐにその気になる。

お袖は無類の焼き餅焼きだ。浮気封じに、瓢六を牢内へ留めることに同意した。

だが状況は変わった。今や瓢六は、北町奉行所にとって、なくてはならない切り札になっていた。吟味を先のばしにして牢内へ留め、瓢六の才覚を活用しようというのが、弥左衛門の上役・菅野一之助の肚である。出してくれといわれて、はい、そうですかと解き放つわけにはいかない。

「まあ、そのことはおいおい……」

「おいおいっていつです？」

「いつといわれても、まだ……」

「おや、嘘なんですか。手柄を立てたら解き放ってやるといったのは？」

問い詰められ、たじたじとなったときである。

木戸門からずんぐりした人影が覗いた。岡っ引の源次である。

「旦那。ちょいとお耳に入れたいことがあるんですがね、そこの角でばったり……」

いいながら玄関へ足を踏み入れる。入るなりわっとのけぞった。源次もお袖が大の苦手だ。

「親分さん。お久しぶり」

弥左衛門が口を開くより先に、お袖は愛想よく挨拶をした。

「へ、へえ。お袖さんも相変わらずお元気そうで」

源次は額の汗を拭った。

「元気なもんですか」お袖は顔をしかめた。「親分聞いてくださいよ、あたしはねえ六さんのことで今旦那と……」

お袖は早口でまくしたてる。

「ばったりとは、だれに逢ったのだ」

お袖が息をついた隙に、弥左衛門が口を挟んだ。

「へい。そこの角で、小日向の奥さまと」

「姉上が！」

弥左衛門は目をむいた。

〝小日向の奥さま〟とは、弥左衛門の姉・政江のことだ。政江は弥左衛門の母代わり。弟に似ていかつい顔の女で、賄い役を務める沢田与兵次の妻女である。やもめ暮らしの弟の身を案じ、何かというと世話を焼く。玄関先で芸者といい合っているところを見たら、口うるさい政江がなんというか。

泡を食ってお袖を追い返そうとした。が、遅すぎた。

弥左衛門と源次が顔を見合わせたところへ、下男の七助を従え、政江が入って来た。

「お客人ですか」

じろりとお袖を見る。

「お袖と申します。お見知りおきを」

お袖はしなをつくって会釈をした。

「お袖、さん……」

「芸者をしております」

お袖はしゃらりというと、弥左衛門に目を向けた。

「では旦那、さっきのこと、くれぐれもお頼み申しますよ」

「う、うむ……」

「このままでは蛇の生殺しみたいで、あたし、がまんができません」

思わせぶりにいって帰って行く。

気まずい沈黙が流れた。

「ええと、あっしもひとまずこれで……」

源次があとずさりをした。

「待て」弥左衛門はあわてて引き止めた。「耳に入れたいことがあるといったではないか。話を聞こう。姉上、せっかくですが、この通り、取り込んでおるのです」

政江はいぶかしげな顔で源次を見た。

源次は飛び上がった。

「い、いや。たいした用じゃあねえんで。ここんとこ毎日のように牢屋敷の門前で女が騒いでいると知らせがあったんで、もしかするともしかするってんで知らせに来たんですがね……やっぱし思った通りだ。となりゃあ、へい、もう用なしなんで」

いい終えたときは、門を飛びだしていた。

弥左衛門はため息をついた。こうなったら覚悟を決めるしかない。やむなく姉を客間へ案内する。

腰を据えるや、

「あの女子とは、どういうかかわりなのですか」

案の定、政江は険しい口調で問いただした。

「かかわりというほどの者では……お役目上の付き合いで……」

「蛇の生殺し、とやら申しましたが」大仰に眉をひそめる。「まさか、あの女子となんぞあったわけではないでしょうね」

「断じてさようなことは……」

全身から冷や汗が噴きだした。

「でしたらなにゆえ先日の見合い、断わったのです？　これでもう三度目ですよ。今度の上田さまのご息女は、年齢こそ二十四ですが、気立てもよく、お顔だちもそこそこで、なにより家事の切り盛りがお上手とか。いったいどこが気に入らぬのです？」

「どこということは……ただ、どうにも気が進まず……」

「なれば、どのような女子ならよいというのですか」

答えは簡単だ。喉元まで出かかった名前をかろうじて飲み下した。

政江の押しつけがましさに、弥左衛門は閉口していた。最初の縁談をにべもなく断わったのは正月明け。断わりの挨拶に出向いた際、相手方の父親と大喧嘩をしてしまった。ところがその帰り道で、当の相手と出会った。素性を知らぬまま、弥左衛門は八重にひと目惚れした。

清純な女の面影が脳裏を離れない。が、恋をしたことのない堅物のやもめ男だ。どうしたらよいかわからなかった。そこで、百戦錬磨の色男、瓢六に恋の指南を頼んだ。瓢六のお膳立てで八重と再会したのは、春先の雨の日のことである。

計画は失敗した。弥左衛門は八重の面前でとんだ失態を演じ、おまけに同道の女中を激怒させてしまった。以来、鬱々《うつうつ》とした日々を送っている。

弥左衛門が口をつぐんでいるので、政江はつづけた。

「大谷さまのご息女もそうです。非のうちどころのない娘御ではありませんか。お歳も二十二ですし、ふっくらして愛らしい……お裁縫もかなりの腕だとか。なによりもお父上が同じ奉行所勤めなら、余計な気を使わずに済みます」

大谷家の娘は、二度目の縁談の相手である。

弥左衛門は恐る恐る顔を上げた。

「どうせなら、最初の縁談の……」

「後藤家の八重さまですか」政江の顔が怒りにゆがんだ。「とんでもない。向こうがあやまってきたとて、わたくしが許しません。よりによって、不浄役人とはまあ……」

町奉行所の役人は、犯罪者を扱うので不浄役人と蔑《さげす》まれている。後藤家の当主・忠右衛門は、喧嘩の際、弥左衛門を不浄役人となじった。もれ聞いた政江は烈火のごとく怒り、すっかり態度を硬化させた。

忠右衛門も忠右衛門なら政江も政江。どちらも一筋縄ではいきそうにない。いずれにせよ、八重との縁は切れたも同然。

「後藤家では、新たに縁談の話があるそうです。弥左衛門どの。先を越されぬよう、そなたも早うよい嫁御をお迎えなされ」

縁談！　弥左衛門は全身から力が抜けてゆくような気がした。それでは、八重どのに縁談があるというのか。

姉が帰って一人になるや、頭を抱えた。最悪の事態である。災難とは、雪崩《なだれ》のようにふくらみ、思いもよらぬ方向へ転がってゆくものらしい。

胸の痛みに呻いたとき、瓢六の顔が浮かんだ。

あやつなら名案があるやもしれぬ――。

あまのじゃくで礼儀知らずのいまいましい小悪党ではあったが、こんなとき頼りになるのは、やはり、瓢六しかいなかった。

三

瓢六はこれまで、災難などものともしなかった。

豊富な知識がある。才気がある。豪胆で敏捷だ。己の力をもってすればどんな逆境も切り抜けられると過信していた。

ところがそうではなかった。

床の上に這いつくばって息をあえがせている。

娑婆ならいくらでも助っ人を集めることができた。だがここは地獄だ。助っ人一人得るにも銭がいる。

九月に入ったとたん、お袖の文が途絶えた。銭もとどこおっている。お袖が心変わりするとは思えないから、だれかが邪魔をしているのだろう。

この十日間、事あるごとに因縁をつけられ、キメ板で打たれた。十本が二十本になり、三十本になった。みみずばれはつぶれ、膿んで熱を持っていた。

四人の食事は朝晩二度の物相飯だ。が、一度に減らされた。それも半分しか与えられない。これではいくら頑健な男でも参ってしまう。

「煮えたぎるようじゃ」

松庵が額に手をあてた。首を横に振る。

贋医者でも医者。牢獄では医者は貴重な存在だ。今のところ松庵だけは目こぼしされているが、他の囚人が瓢六に近づこうとすれば、即、馳走を食らった。今では、松庵以外、だれも近づかない。

「もういい。放っておけ」

瓢六は苦しい息の下で、松庵を追い立てた。

「そうもいかん」

いいながらも、松庵は不安そうに奥を見やる。死にかけた囚人のために己の命を危険にさらすのは愚の骨頂だ。

「いいから行け」

済まなそうに首をすくめ、松庵は離れてゆく。

瓢六は耳を澄ませた。

ここ数日、虫の声が途絶えていた。はじめから幻聴だったのかもしれない。地獄に澄んだ音色は似合わない。歯ぎしり、呻き、罵声、悲鳴……阿鼻叫喚こそ地獄の物音である。

高熱のために頭がぼんやりしていた。

気力をふりしぼって目を凝らした。見たいものがあるわけではなかったが、まだ物がうごめく群れの向こうに、格子が見えた。視力が弱まっているらしい。桟が二重にも見分けられるかどうか、たしかめるためである。

三重にも見える。縦横にからみ合って、まるで蜘蛛の糸のようだ。からめ捕られたが最後、逃れられない蜘蛛の巣――。

格子の向こうは外鞘《そとざや》である。燭台が置かれているので、淡い光がこぼれていた。

しばらく眺めていると、足音が聞こえた。見慣れた牢番の足。つづいてもうひとつ、別の足が視界を塞ぐ。着流しの紋付きから脛《すね》が覗いているところをみると奉行所の同心か。

南町の同心だろう。

何度となく弥左衛門に連絡してくれと頼んだが、牢番は黙殺した。新入りを引き立て、あるいは囚人を白州へ引きだすために、鍵役、世話役、賄役など牢屋敷の役人もやって来る。南町の同心が見廻りに来ることもあったが、申し合わせたように、瓢六には目を向けなかった。

北町の当番月まであと二十日。それまで生き延びられようか。さすがの瓢六も、投げやりな気分になっていた。

「どうとでもしやがれ」

目を閉じようとした。が、何かが閉じるのを拒んでいた。苦心してまぶたを押し上げる。

朦朧《もうろう》とした視界に見慣れた顔が映った。いかつい顔。頑丈な鼻。への字に曲がった唇。仏頂面をしているが、双眸に誠実な光がある。

弥左衛門！

目が合った。弥左衛門が息を呑むのが見えた。

牢番に向かって、あわただしく問いただしている。激昂しているのか、とぎれとぎれに怒鳴り声が聞こえた。

しばらくすると牢役人が飛んで来た。弥左衛門は役人といい合いをはじめる。烈しい応酬がつづいたあと、牢屋敷の下男が呼ばれ、牢内へ入って来た。瓢六に歩み寄り、数人がかりで抱え上げる。

「旦那、やっぱし、来てくれたんだな」

瓢六は笑おうとした。笑えなかった。鼻の奥がしびれ、涙がこぼれそうになる。くぐり戸を抜けたら真先に礼をいおうと思った。それもできなかった。格子はぼやけ、ゆらぎ、もやもやした霧のなかへ溶け込んでゆく。

廊下へ運びだされたとき、瓢六は気を失っていた。

四

「おぬしのせいで、お奉行は面倒なお立場に立たされた」

菅野一之助は女のように形のよい眉をひそめた。

「出牢証文なしに囚人を牢から出した。当番でもないのに越権行為だとやりこめられたそうな」

呉服橋門内にある北町奉行所。与力の官舎である。開け放した襖越しに、貧相な花をつけた山茶花と傾いた石灯籠があるだけの殺風景な坪庭が見える。

「なにゆえ事を起こす前に相談しなかったのだ」

「差し迫っておったのです」弥左衛門は上役の顔を見返した。「ぐずぐずしておれば、殺されていたやもしれません」

菅野はすっと視線を逸らせた。

「だからといって、勝手なことをしてよいという法はない」厳しくいったところで表情を和らげる。「ま、他ならぬ瓢六のことじゃ。おぬしが焦るは無理もない」

弥左衛門は軽く頭を下げた。

「あやつは手柄をたてました。それも一度二度ではなく……」

「うむ。まだまだ働いてもらわねばならぬ」

菅野はすましていう。

「で、容体はどうじゃ」

「熱は下がりました。が、何分、背中の傷が膿んでおりまして」

「いずこにおるのじゃ」

「牢屋敷内の某所に」

瓢六は大牢の囚人である。吟味もしないで解き放つわけにはいかない。当番月なら期限付きで牢から出し、お袖の家で養生させることもできるが、非番月ではそれもできない。

やむなく薬を調合する部屋の一劃に仕切りを立てまわして病室とした。むろん異例のことである。危害を加えられぬよう見張りをつけているが、それがまた牢役人の反感を買っている。

「そのようなところへいつまでも置いてはおけまい」

「なればこそ、お願いいたしたき儀がございます」

「ふむ。申してみよ」

弥左衛門は膝を進めた。

「瓢六を溜送りにしてはいただけませぬか」

「溜？」

菅野は品のよい顔をしかめた。

「ややこしい手続きがある。いずれにせよ、当月は無理だ」

「そこをなんとか」

先月、牢名主の雷蔵が胸の痛みを訴え、溜送りとなった。先月は北町奉行所の当番月だったが、この一件を菅野や弥左衛門が知ったのは数日後だった。牢役人の勝手な判断で、事がなされたのである。

「先例を楯にとれば、なんとかなるのではありませんか」

菅野は庭に目をやった。思案している。

石灯籠の陰に虫籠が置かれていた。せめて風流の真似事をしようというのだろう。官舎で虫の声を愛《め》でるとは、菅野ならではの思いつきである。

「掛け合ってみよう」

菅野は部下に視線を戻した。頬をゆるめる。

「溜に秘密があると見た。ゆえに瓢六を溜に行かせたい。さよう申すのじゃな」

弥左衛門は目を丸くした。

菅野は浮き世離れしている。何を考えているかわからない。というより、何も考えていないように見える。が、それは大間違いだった。洞察力の鋭さはすでに証明済みである。

「仰せの通りにございます」弥左衛門は思わず身を乗りだした。「瓢六は、先に溜送りになった牢名主の雷蔵に逢って、どうしても訊きたいことがあると申すのです。いわれてみれば、雷蔵の一件といい、今回の仕置きといい、腑に落ちぬところが多々あります。この際溜へ送り込み、調べさせるがよろしいかと」

熱が下がり人心地がつくや、瓢六は弥左衛門に懇願した。

――このままじゃあ寝覚めがわるくていけねえや。名主に逢って、なんでおいらを怨むのか訳を訊きてえ。怨まれっぱなしじゃ死んでも死にきれねえ。頼む。おいらを溜へ送ってくれ。

瓢六は目利きをしていた。ものごとを曖昧にしておくのは嫌いな性分である。もっともな頼みだと、弥左衛門は同意した。

「雷蔵の溜送り、己のかかわった事件のいずれかにからんでいると、瓢六は目星をつけておるのじゃな」

菅野は部下に思慮深いまなざしを向けた。

「ご推察の通りにございます」

「先月の捕り物は、抜け荷の一件じゃったの」

「瓢六が唐物に目をつけ、そこから足がついて、佐兵衛一味を召し捕りました」

「その前は女郎屋の一件か」

「はあ。おちかには手を焼きました」

おちかは闇の世界で名の知れた女だ。若い頃は数々の悪事に手を染めたというが、今では年老い、労咳《ろうがい》にかかって死にかけていた。

そもそも捕り物は、毒蜘蛛・惣右衛門と呼ばれる女衒《ぜげん》の親玉だった。瓢六の働きで女郎屋を捜しだし、事件は落着した。その余禄として、おちかが網にかかったのである。

このときは、瓢六の働きがめざましすぎたために厄介な出来事が持ち上がった。なにしろ探索先は女郎屋である。悋気のはげしいお袖が指をくわえて見ているはずがない。瓢六はむろんのこと、弥左衛門も源次もとばっちりを受け、お袖に噛みつかれて散々の目に遭った。

さらにこの事件では、大詰めの捕縛の際にもひと騒動もち上がった。おちかが毒を呑もうとしたのである。いち早く気づき、おちかの手から毒を取り上げたのは瓢六だ。その上で、どのみち余命いくばくもない、見逃してやってくれと頭を下げた。実際、おちかの境遇には同情するところもあったのだが、一旦捕らえた者を吟味もせずに解き放つわけにはいかなかった。おちかは牢屋敷の女牢へ送られた。

「その前が四月の……」

「灌仏会《かんぶつえ》の千歳茶《あまちゃ》の椀に毒が塗られておった事件にございます」

「鬼の一件か」

菅野はからからと笑った。

弥左衛門は居心地がわるそうに尻をもぞもぞさせた。瓢六に一杯食わされ、上役の前でとんちんかんな報告をして恥をかいたときの、きまりのわるさを思いだしたのである。

「その前がギヤマン。正月は掛け軸」

菅野は坪庭に視線を彷徨《さまよ》わせた。

「相わかった。沙汰を待て」

辞儀をして席を立とうとすると、菅野が呼び止めた。

「捕われの身でも、虫はよき声で鳴く」庭の虫籠に顎をしゃくる。「やもめ暮らしの慰みにくれてやろう。持って参れ」

五

夜気をふるわせ、蕭々《しょうしょう》と鳴く虫の声には風情がある。が、我も我もとわめきたてられては、ただの雑音にしか聞こえない。

浅草千束村の溜は田圃の真ん中にあった。南は浅草の観音堂、北は新吉原の遊里。江戸もはずれのこのあたりは、夜になると蛙や虫の声が喧《かまびす》しい。瀕死の病人の耳には、早く早くと急き立てる彼岸からの呼び声にも聞こえる。

瓢六が溜送りとなったのは、十三夜の晩だった。

「月見たァ、粋なはからいだぜ」

重病人をよそおっているが、傷も癒え、皮肉のひとつも口にする元気が戻っている。

それにしても、お袖と差しつ差されつ、白い指できぬかつぎの皮をむいてもらって食べた十五夜の晩とは天と地のちがいだった。

溜は一の溜、二の溜と二箇所に分かれている。

瓢六は雷蔵のいる一の溜に担ぎ込まれた。とっつきの藁床に邪険に投げだされる。

雷蔵は奥まった床に横たわっていた。

瓢六は目を疑った。

これがあの、九枚重ねの畳の上に悠然と座し、下界を睥睨していた牢名主か。

仮病だとばかり思っていたが、見る影もなくやつれ、ぼうぼう眉どころか、顔じゅう不精髭に覆われた男は、すでに片足を棺桶に突っ込んでいるように見えた。

そもそも雷蔵はいくつなのかと、瓢六は考えた。だれも知らない。大牢にいたときは、四十、多くとも五十だと思っていた。今はそれより十も二十も年老いて見える。

雷蔵ははじめ瓢六に気づかなかった。新参者に興味を示す気力など、残ってはいないらしい。翌日になって目が合うと、顔を背けた。

雷蔵の双眸に一瞬、怒気が流れたのを、瓢六は見逃さなかった。溜役人がいない隙を見計らって、雷蔵の寝床へ這い寄る。

「名主。教えてくれ。どういうことだ」

雷蔵はまぶたをひくつかせただけで、瓢六の顔を見ようともしなかった。

重ねて訊ねると、うるさそうに片手を振り上げる。ごつごつした熊手のような手は、瓢六の頬をかすめて床に落ちた。

生来、無口な雷蔵である。話せと迫ったところで埒があきそうにない。

瓢六は終日、雷蔵を観察した。

雷蔵はじっと横たわっていた。胸の痛みを訴えるわけでも、他の病人のように呻いたりうなされたりするわけでもない。ところが水にも粥にも口をつけなかった。覚悟の上で断食をしているらしい。

変化があらわれたのは、夕刻、医者がまわって来たときだ。雷蔵は医者に取りすがり、なにやら執拗に訊ねた。医者は二言三言応え、そそくさとその場を離れた。

瓢六は医者を呼び止めた。手に二朱銀を押しつける。瓢六の病を案じたお袖が弥左衛門に託した銭である。

「奥の病人だが、何を訊ねた？」

医者は手のなかの銭を見た。もう一枚握らせると、素早くふところへおさめた。

「溜にいる女の容体だ」

女の重病人は、女用の溜に収容される。

「女？」

瓢六は問い返した。雷蔵と女とは、どう見ても結びつかない。

「ひと月ほど前に送られてきた。労咳で死にかけておる」

医者はそれだけいって口を閉ざした。

瓢六はふところを探り、二朱銀を一枚残して、あとの銭を全部、医者のふところへ押し込んだ。

「名は？」

「おちか」

医者は出て行った。

瓢六は呆然と虚空を見つめた。

では、雷蔵とおちかはかかわりがあったのか。雷蔵にとって、おちかは命にもかえがたい女だったというのだろうか。

その女を、瓢六は捕らえた。別件の探索でたまたま網に引っかかった女、放っておいても死ぬとわかっている女を、無情にも牢へ押し込めた。

そうじゃあねえ。捕らえる気はなかった。おいらは見逃してくれと頼んだんだ。

だが、心底おちかの身を案じていたのかと問われれば、肯定はできなかった。お上の言い分に逆らえず、結局は牢送りを黙認してしまった。情があるなら、おちかが毒をあおろうとしたとき、死なせてやるべきだったのだ。

大牢で、瓢六は客分だった。ふところにはお袖の銭があった。背後には弥左衛門もいた。一畳に数人が詰め込まれ、座ったまま眠らされたり、意味なく歩かされたり、キメ板で打ち据えられたりする囚人を眺めながら、三枚重ねの畳の上でのうのうと寝そべっていたのである。

地獄の悲惨さと日々向き合いながら、見て見ぬふりをしてきた自分に、おちかの悲哀などわかるはずがない。

瓢六は雷蔵を見た。雷蔵は背中を向けていた。

口でなんといったところで、おそらく無駄だろう。雷蔵にしてもわかっているはずだ。

雷蔵は、瓢六がおちかを捕らえたから、牢送りを黙認したから怨んでいるのではない。偽善者ぶった態度、おちかに死に場所を与えてやらなかった非情を責めているのだ。

ヘッ、目利き失格。まだまだ修行が足りねえな——。

物には心が宿っている。人の心が読めなければ、物の真偽もわからない。

瓢六はすごすごと床に戻った。蛙の合唱を聞きながら思案する。

いったいだれが、おちかの一件を雷蔵に告げたのか。だれかが尾ひれをつけて話したのは間違いない。雷蔵が瓢六を怨み、その怨念が牢獄中に波及して、瓢六がいたたまれなくなるように……。

つまり、そのだれかは瓢六が目ざわりだったのだ。手柄ばかり立てるので腹を立てた。おそらく南町にかかわる人間にちがいない。

勝五郎は利用された。雷蔵が溜送りになれば、名主の地位を奪える。一挙両得だと小躍りした。

雷蔵はどうか。おちかに逢わせてやるとだまされ、仮病をよそおえとそそのかされたのではないか。瓢六が牢へ戻る前に、あわただしく溜へ送られた。

そこまで考え、瓢六はかっと目を開けた。にわかに闘志が湧き上がる。手をこまぬいてはいられなかった。雷蔵が朽ち果てるのを、漫然と眺めてはいられない。勝五郎ごときをのさばらせてなるものか。なにより、おちかに死に花を咲かせてやらなければ、自分で自分が許せなかった。

どうすればよい？　答えはひとつ。

娑婆と地獄が銭で動くなら、溜も例外ではないはずだ。

瓢六は溜役人を呼びつけ、一枚残った二朱銀を渡して伝言を頼んだ。

六

小ぎれいな部屋だった。

床の間はない。奥まった一劃に簀の子が置かれ、その上に花桶がのっている。嫁菜《よめな》、小菊、秋海棠《しゅうかいどう》……野の花を無造作に摘んで、手桶に投じただけの生け花は、闇の世界に生きてきた女の枕辺にはふさわしかった。

浅草の溜は車善七の管轄で、敷地内に善七の住居と下働きの者たちの住む小屋がある。小屋のひと間を借り受け、畳を入替え、病人を移すのは、思いのほか簡単だった。もっとも、与力の菅野の尽力が功を奏したせいもある。

「お上もやればできるじゃねえか」

いつもの調子に戻って、瓢六はへらず口を叩いた。

いざ移したものの、おちかははじめ雷蔵に逢うのをいやがった。老いさらばえた姿を見せたくないというのである。

「物の値打ちは、見た目じゃあ決まらねえ」

おちかにひと目逢うために、雷蔵は仮病をつかって溜送りになった。逢えぬまま食を絶ち、死にかけている。

「どんな思いか、わかるか、おちかさん。この世の名残だ。逢ってやんねえ」

おちかの青ざめた頬が紅潮した。切れ長の双眸に、病人とは思えぬ鋭い光がよぎる。

「あの人を悪の道に引き込んだのは、あたいなんですよ。あの人は、ちっとは名の知れた力士だったんです。けどあたいを悪所から請けだすために人さまの銭に手を出した。そんなあの人をあたいは踏みつけにしました。騙し、裏切り、玩《もてあそ》んだ。あげく、別の男と逃げちまった」

今さら合わせる顔がありますか――おちかは自嘲の笑いを浮かべた。

瓢六は虚空の一点を見つめた。

「大牢で虫の声が聞こえた。惚れ惚れするような音色だったっけ。地獄の底へぶち込まれたってよ、汚物まみれになったってよ、耳を澄ませば聞こえる。名主もきっとあんたの、ほんとのあんたの声を聞いたんだ」

おちかの顔がゆがむ。床に突っ伏し、おちかは身を揉むように泣き崩れた。

今、おちかは真新しい夜具の上に身を起こしている。こざっぱりした帷子《かたびら》を着て、白いものの目立つ髪をうなじでひとつに結んでいた。病みやつれた姿からは、悪事にどっぷりつかった女の面影を想像することはできない。

雷蔵はおちかの体を抱きかかえ、粥を食べさせてやっていた。木べらですくい、息を吹きかけて冷まし、口許へ運ぶ。おちかは物を飲み込む力を失っていた。あらかたは口の脇から顎へたれる。雷蔵は自分の手で汚れを拭い、辛抱強く、何度も何度も同じことをくり返した。

労咳の病人はひっきりなしに咳き込む。そのたびにやせ細った背をさすり、あふれた涙を拭いてやる。雷蔵に抱かれたおちかは童女のように見えた。

「ほんに、あのとき死なんでよござんした」

それが、最期の言葉になった。

九月下旬、いつにも増して虫の声が切々と胸に迫る夜、おちかはひっそりと息をひきとった。


「幼なじみだったんだとさ」

瓢六はぼそりといった。

「入船町の裏店で育ったと聞いたが……」

瓢六と弥左衛門は、溜の敷地内の草原をそぞろ歩いていた。寒風が吹き過ぎ、足元の草がざわめく。

「働き者で気立てのいい娘だったんだと。名主のおっ母さんが死病に罹ったときも、寝ないで看病してくれたんだとさ。大昔の話だ。その後おちかがどうなって、どこでどう女が男を踏みつけにしたのか、くわしいことはわからねえ。名主はあの通りの男だから、身の上話なんぞしねえしよ」

無理に聞きたいとは思わなかった。だれにもふれられたくない古傷がある。

「こっちもお手上げだ。源次に聞き込みをさせたのだが……」

弥左衛門は溜の裏門に目を向けた。また死人が出たのか、下働きの男たちが戸板を担ぎだしている。

「四十年も昔のことを覚えている者はおらぬ。おちかの話では、両親に死なれ、もらわれた先の主に手込めにされて、女衒《ぜげん》に売り飛ばされたというが……」

その手の話なら、どこにでも転がっていた。

「ところで、名主はなんでお縄になったんだ」

「押し込みだ。殺傷はしていないが件数が多い。白州へ引きだされれば、間違いなく死罪になる。だが雷蔵は飛び抜けて頭がいい。どこで習ったか、算術もできれば漢学の素養もある。おまけにあのご面相だ。力士あがりなら、囚人どもににらみもきく」

「で、名主に祭り上げて、生殺しにしてるのか」

瓢六はしゃがみ込み、茅の葉を引き抜いた。口にくわえて、ひゅうと鳴らす。

弥左衛門は眉をひそめた。

「打ち首になるよりはましだろう」

「どうかな……」

牢内の光景がよみがえる。九枚重ねの畳の上に寝そべって、日がな一日瞑想にふける雷蔵――。雷蔵は毎日、何を考えていたのか。

今回の溜はともかく、雷蔵が牢を出るときは、胴体から首が離れるときだ。生きて娑婆へ戻ることはまずありえない。薄暗い牢獄で朽ち果てる日を待つことが打ち首になるよりましかどうか、瓢六には判断がつきかねた。

だが……。

〝死なんでよござんした〟

おちかはいった。生きていれば望みがある。おちかは雷蔵に、生きてくれと、いいたかったのではなかったか。

瓢六は草笛を吹いた。

「名主はどうなる？」

「もともとが仮病だったんだ。体力が回復すれば、大牢へ戻される」

「おいらは？」

射抜くような目で見つめられ、弥左衛門は狼狽した。

「おぬしのことはその、菅野さまともよく計らって……」

「しばし待て、待て待て待ァて」

瓢六は見得をきって、へへへと首をすくめた。

「行き着く先が切り場でねえだけましか」

「嘘ではない。必ず話をつける。おぬしのことは、お袖にも矢の催促をされておるのだ」

お袖が弥左衛門の家に乗り込んだ話は、瓢六も聞いていた。その決死の心意気がなければ、弥左衛門は重い腰を上げなかった。瓢六は手遅れになっていたかもしれない。

「お袖には頭が上がらねえな」

瓢六がいうと、弥左衛門はうなずいた。が、何やら奥歯に物が挟まったような顔をしている。

ははあん。この顔は——。

瓢六はにやりと笑った。

「例のお八重さまはどうなったんで？」

「なるもならぬも……」

「進展なしか」

「うむ。あ、いや。進展はある。実はその、厄介なことになっての……」

弥左衛門は八重に縁談があることを話した。

「なんでえ。そんなことか」

「なんでえ、とはなんだ」

「ぶっつぶせばいいじゃあねえか」

「ぶっつぶす？　縁談を？」

「嫁に行かせたくないんだろ。だったら、ぶっつぶすしかあるめえ」

「そ、そりゃあまァ、そうだが……。上手くゆこうか」

「まかせとけ。そういうことなら得意中の得意だ」

春先にも瓢六は同じことをいった。弥左衛門は瓢六に勧められて、ハシリドコロという興奮剤を服用し、勢いあまって、とんだ失態を演じてしまった。瓢六の〝まかせとけ〟には一抹の不安があったものの……。

今や藁をもつかむ思いである。

「さすればよろしゅう頼む。そうだ。菅野さまに許可を得ておく。じきに十月になるゆえ、おぬしはそれまでここにいるがよい。そのままお袖の家へ行けるよう、計らってやろう」

「いや」瓢六は首を横に振った。「名主と一緒に牢へ戻る」

弥左衛門はけげんな顔をした。

「なにゆえだ？」

「いろいろと、始末をつけたいことがあるのさ」

まずは雷蔵が定位置におさまるところを見届けたい。勝五郎には詫びを入れさせる。その上で、勝五郎をそそのかした首謀者の名を聞きだしたい。松庵にも礼をいいたかった。それになにより――と、瓢六は小鼻をふくらませた。もう一度、噎《む》せ返るような熱気のなかに身を置いてみたい。三枚重ねの畳の上にではなく、むきだしの床の上に素足で立つ。まっさらな目で、地獄を見渡してみたかった。

七

雷蔵は巨体をかがめて、くぐり戸をくぐった。ゆるぎない足取りで、最奥の定位置へ向かう。

九枚重ねの畳の上にはだれもいなかった。

畳の上に這い上がり、ひと渡り下界を見まわす。ごろんと横になって、ぼうぼう眉を数回上下させた。熊手のような手で顎を撫でると、おもむろに目を閉じ、瞑想の世界に浸り込んだ。

牢名主の一挙手一投足を、囚人どもは賛嘆のまなざしで見守った。溜送りになるのは瀕死の病人である。十人中九人、溜は終《つい》の住処《すみか》となる。棺桶に片足を突っ込みながら生還した雷蔵に、これまで以上に畏敬の念を抱いているらしい。

つづいて、瓢六もひょいとくぐり戸をくぐった。

雷蔵に向いていた視線が、いっせいに瓢六に移る。

囚人どもは息を呑んだ。その目にいぶかしげな色が浮かぶ。それは困惑の色となり、

一人が二人、二人が三人と気まずそうに目を伏せた。

勝五郎の言に踊らされて、瓢六を黙殺した。キメ板で打たれ、死にかけても、知らぬふりを通した。そのことが後ろめたくて、顔を上げられないのだ。

我が身可愛さはだれも同じだった。死と隣り合わせにいる囚人どもが仲間を見捨てたからといって、だれが責められようか。

「こいつはよォ」瓢六はにこりと笑って、手にした虫籠を掲げた。「鈴虫だ。ちょいと風流ぶってよ、みんなで虫の声を愛でようじゃあねえか」

土産に虫籠を手渡したのは弥左衛門だ。上役の菅野から拝領したものの、生来、風流に疎い男である。おまけに侘しいやもめ暮らしでは、虫の声を愛でたところで、なおの

こと侘しさがつのるばかり。そこで瓢六に押しつけた。瓢六を見ると、だれかがあわてて畳を三枚重ねた。が、瓢六は見向きもしなかった。床に虫籠を置き、そのそばにあぐらをかく。

「助かるたァ思わなかった」松庵がもぞもぞと這い寄って、鼻をすすり上げた。「よう帰って来たのう」

「おめえのお陰だ」

「わしはなにも……」

「いや。十分すぎてお釣りが来らあ。おめえのお陰だよ」

話しているところへ、二番役の峯吉がやって来た。真っ青な顔でふるえている。どうせ逃げ場がないなら早いとこ謝ってしまおうと、勇気を奮いおこしてやって来たのだ。

「済まねえ。堪忍してくれ」

峯吉は床に額をこすりつけた。自分は何も知らない。怨みはなかった。ただ、頭のいう通りしたまでだ。くどくどと弁解する。

「そういやァ、頭はどうした？」

瓢六が訊ねると、牢内がしんと静まり返った。

「何かあったのか」

「昨日、突然、お呼びがあった」

松庵が答えた。

〝お呼び〟とは白州へ呼ばれることをいう。呼ばれれば吟味を受け、即刻、罪状に見合った沙汰が下る。

「頭はなんで牢へ入ったんだ」

「盗みだ。百両盗んで、人を殺した」

再び重苦しい沈黙が流れた。

十両盗めば首が飛ぶ。今頃はもう、勝五郎は本物の地獄にいるにちがいない。

それにしても、と、瓢六は首を傾げた。瓢六が牢へ戻る前日にお呼びがかかるとは、偶然とは思えない。

「牢番は？」

「また代わった」

「なるほど、そういうことか」

苦い唾を呑み込む。

名主の座を狙う勝五郎の野心をあおって、瓢六殺しを企んだ。そのだれかは――おそらく南町奉行所と結託しただれかは――己の失敗に気づいた。正体がばれぬよう、いち早く勝五郎と牢番の口を封じた。

囚人など虫けら同然。不要になれば、切って捨てればよいというわけだ。

だから嫌えなんだ、あいつらは――。

瓢六が拳を握りしめたときである。

「お、鳴いてる」

だれかがいった。

鈴虫が鳴いている。狭苦しい籠に閉じ込められていたからか、それとも、もう秋が終わろうとしているからか、虫の声はか細く、弱々しかった。それだけに、琴線がふるえるような神々しい音色である。

九枚重ねの畳の上で、雷蔵がむくりと体を起こした。

しわぶきをしようとして、峯吉があわてて口を押さえる。

松庵は人差し指を唇に立て、牢内を見まわした。

束《つか》の間の極楽——。

囚人どもは息を詰め、虫の声に耳を澄ませる。

握りしめた拳からするすると力が抜け、瓢六は我知らず両手を合わせていた。

紅絹《もみ》の蹴出し

一

「おっと。危ねえ」

すれちがいざま前から来た男とぶつかりそうになって、瓢六はするりと身をかわした。

「何見とれてんのさ」

寄り添うように歩いていたお袖が、すかさず腕をつねる。

「いてて」

「これだから目が放せやしない」

「なんでえ。知ったような野郎を見かけたんだ」

人込みに粋な藍小袖を着た女の後ろ姿が見え隠れしていた。

「嘘ばっかり」

「嘘なもんか。こうして娑婆でよ、おめえと二人、市を冷やかして歩いてるんだ。他の女なんぞに目がゆくはずがねえや。おいらにゃお袖、おめえしか見えねえよ」

「うまいこといって」

瓢六は色男の上に口達者である。流し目でにらみながらも、お袖は頰をゆるめた。

十月二十日は商売繁盛を祈る恵比寿講だ。前夜は大伝馬町に〝腐市《くされいち》〟と呼ばれる夜市が立つ。ひと夜かぎりの市は、例年通り寒さ知らずの大盛況だった。道の両側に敷かれた筵《むしろ》の上には小宮や神棚、三方《さんぼう》、まな板、鯛など恵比寿講に使う品々が所せましと並び、買い物客がおし合いへし合いしている。

「ちょいと待っとくれ。浅漬買ってくから」

お袖は樽の並ぶ一劃で足を止めた。干し大根を塩糠で漬け込み麹を加えた浅漬は腐市の名物で、あそこがおいしい、ここがおいしいと、舌の肥えた江戸っ子は浅漬ひとつにも贔屓《ひいき》があり一家言《いっかげん》がある。

樽を覗き、売り子と話し込んでいるお袖のかたわらで貧乏ゆすりをしながら、瓢六は油断なくあたりを見まわした。

やっぱしそうだ、ちげえねえ――。

だれかがつけ狙っている。そのだれかとは、自分を殺そうとした犯人の手先ではないか。そうだとしたら、なぜひと息に襲ってこないのか。

女と二人、こうして夜市を冷やかして歩いているが、瓢六は小伝馬町の大牢に収監中の囚人である。先月、牢内で事件が起こった。何者かの煽動により、牢名主をはじめ囚人どもが敵にまわって、瓢六を殺そうとした。キメ板で打ち据えられた苦痛もさることながら、誤解され憎まれ四面楚歌になったあのときは、まさに地獄の苦しみだった。

事件は解決したものの、囚人どもを焚きつけた真の犯人は、顔を隠したまま姿をくらましてしまった。

そのことと関係があるのかどうか、今回、瓢六は娑婆へ戻った当初から、妙な気配を感じていた。だれかにつけまわされているような――。

姿を見たわけでも、足音を聞いたわけでもない。目利きの勘である。

全身を目と耳にして周囲をうかがっていると、お袖がトンと体をぶつけた。

「六さん、お待たせ」

瓢六はうろたえた。

「なにさ。ちょいと目を離すときょろきょろしてさ」

お袖はつんと顎を上げた。気っぷがよくて別嬪で、情の深いお袖の唯一の欠点は悋気。瓢六の視線が止まった先に女がいようものなら、たとえ小娘だろうが老女だろうが、焼き餅を焼かずにはいられない。

「馬鹿いってるんじゃねえや。よこしな。持ってやらあ」

瓢六は浅漬の包みを受け取った。漬物は大好物だが、これだけの量となると匂いも強烈。家へ帰るまでこいつを抱えてゆくのかと閉口する。

「それにしても、なんでこんなにたくさん買ったんだ」

「ご近所に分けてまわるんですよ。それにほら、八丁堀の旦那にも」

旦那はやもめですからきっと喜びますよ、と、お袖は忍び笑いをもらした。すっかり機嫌をなおしている。

旦那とはもちろん、北町奉行所の同心・篠崎弥左衛門である。

「そいつはいいや。泣いて喜ぶにちげえねえ」

瓢六もつられて笑った。

弥左衛門はお袖が大の苦手だ。何をいってもやりこめられるので、近頃ではお袖と聞くと逃げ腰になる。その弥左衛門が漬物を押しつけられて目を白黒させている姿は、想像しただけで滑稽だった。

「さてと。人込みはたくさんだ。早えとこ帰って、二人でしっぽりやろうぜ」

「フフ……いやだ、六さんたら」

片手で背中を叩く真似をしながら、お袖はぴたりと身をよせてくる。

新大橋の近くまで来たときだった。

瓢六は眉をひそめた。間違いない。背中に鋭い視線が貼りついている。さりげなく前方に目を凝らす。橋の手前の暗がりに宿無しがいた。破れた筵をかぶって寒さをしのいでいる。

こいつはお誂《あつら》えむきだぜ——。

瓢六は追手を退散させるための名案を思いついた。さりげないふうをよそおって宿無しに歩み寄る。

宿無しは老人だった。頬から顎にかけてごま塩の不精髭《ぶしようひげ》におおわれ、目脂《めやに》のたまった目をしょぼつかせている。

瓢六はふところからちり紙を取りだし、銅銭をくるんで老人の手に握らせた。

宿無しはもごもご礼を述べた。離れようとすると片手を伸ばし、浅漬の包みをつかんだ。鼻がひくひく動いて、よどんだ目が物欲しそうに包みを見つめている。

「ふうん。こいつが食いてえのか。よし。そんならくれてやらあ」

瓢六は老人の膝に浅漬の包みを置いてやった。

「ちょいと六さん。お待ちよ。それはあたしが……」

お袖が仰天して駆け寄る。

「まあまあ、いいじゃあねえか」

「そんなこといったって」

「たかが漬物だ。ぐずぐずいうない」

瓢六はお袖の腕をつかんだ。

「だってあんなにたくさん。空っ腹なんだ。腹をこわして死んじまうかもしれないよ。だいたいおまんまもないのに……」

「いいから。いいから」瓢六はお袖の耳元に口を寄せた。「このまま先を急ぐんだ」

お袖は勘がいい。瓢六の口調から緊迫した空気を嗅ぎとった。

「まったく人がいいにもほどがあるよ。これじゃなんのために夜市へ行ったんだかわかりゃしない」

ぶつぶついいながらも、お袖は瓢六のあとに従った。橋を渡ったところで、どちらからともなく足を止める。不穏な気配は消えていた。

「ねえ、どういうことなのさ」

「だからよ、だれかがおれたちのあとをつけてたんだ。思うに、おいらが仲間とどうやって連絡を取り合うか、そいつが知りたかったのさ」

瓢六の人脈は多岐にわたる。娑婆で難事件を解決するときは、どこからともなく助っ人や手がかりが集まってくる。

「それであの宿無しを仲間に見立てたってわけですか」

「一杯食わされたと気づいたら、奴《やっこ》さん、地団駄踏むぜ」

　瓢六のあとをつけていた者は、宿無しを仲間と勘違いして、老人が浅漬を貪り食う姿を息をひそめて見守っているはずだ。

「ちょいとした座興《ざきょう》さ」

「寒空のなかをとんだ骨折り損ってわけですねえ」

　二人は声を合わせて笑った。

「帰って、熱いのを一盃やろうぜ」

「あいよ。とはいうものの、せっかくの肴がふいになっちまった」

「おめえがいりゃあ、肴なんていらねえよ」

　腐市の熱気が嘘のようにあたりは冷え込んでいる。瓢六はお袖の手を取り、息を吹きかけて両手のひらでこすってやった。

　もつれ合うように遠ざかってゆく二人の足元を野犬が駆け抜ける。

　影絵の町に、初冬の月が淡い光を投げかけていた。

二

「で、いつ頃になりますんで？」

源次が訊ねた。遠慮がちに手を伸ばして、浅漬をつまみ上げる。

「さあ。菅野さまの肚ひとつだが……。そうそう引き止めてもおけまい。年内は無理やもしれぬが、来年早々には解き放ちになろう」

弥左衛門は答えた。一瞬ためらい、思いきって浅漬を口中に放り込む。

浅漬は、姉の政江が今朝方、届けてきたものだ。それだけならいいが、懲りもせず四度目の縁談を押しつけ、

——今度という今度は文句のつけようがありますまい。

脅迫めいた台詞をいい残した。浅漬はうまいが、何やら腹を下しそうだ。

ここは八丁堀、弥左衛門の役宅である。茶の間の縁側で、弥左衛門と岡っ引の源次が渋茶を飲みながら話し込んでいる。

「さいでしょうな」源次は浅漬をうまそうに嚙みくだいた。「一度や二度ならともかく、毎度のように囚人を牢から出入りさせるんじゃあ、人聞きもよくありやせん」

「うむ。いくら重宝だからといって、そうそう吟味を先延ばしにもできぬ」

内外からの圧力がかかり、瓢六を牢内に留めておくことはむずかしくなっている。

〝内〟とは競争相手の南町奉行所。〝外〟はお袖の訴えだ。弥左衛門自身がとばっちりを受けているのは、いうまでもなく、後者である。

お袖にやいやいせっつかれ、弥左衛門は菅野に進言した。先月の事件に懲りて、菅野も瓢六を解き放つ気になりかけている。

「しかしなんですな」源次は湯飲みを取り上げ、両手のひらでころがした。「となると、

例の強請《ゆすり》の一件、あの手がかりも失せるってなわけで」

そもそも弥左衛門が瓢六を大牢へ送り込んだのは、強請事件の陰の首謀者だと目星をつけたからだ。当時巷では権勢者ばかりが被害に遭う強請事件が頻発していた。ところが瓢六をお縄にしても同様の事件がつづいた。首謀者だという疑いは薄れていたが、それではまったく無関係か、といえばそうともいえない。怪しいふしがある。この件については、いまだうやむやになったままだった。

「おそらく瓢六は首謀者を知っておるにちがいない。が、あやつのことだ。口が裂けてもしゃべるまい」

仲間を守ると決めたら、命がけで守り通す男である。

「無理に問いただせば、またへそを曲げまさァね。今となっては旦那の相棒だ。怒らせるのは得策ならずってなわけで」

源次はへへへと笑った。

弥左衛門の上役、与力の菅野一之助は瓢六に目を止めた。おどろくべき人脈、豊富な知識、愛嬌、人望、加えて目利きの勘——これは使える。菅野のひと声で、瓢六は期限つきで牢を出され、難事件を解決した。この正月のことである。それからだ。味をしめた菅野はずるずると吟味を引き延ばし、難事件が起こるたびに瓢六を娑婆へ戻し、弥左衛門の助っ人を務めさせるようになった。

やもめ、堅物、風采の上がらない弥左衛門と、小悪党、あまのじゃく、色男の瓢六は、はじめのうちは、ことあるごとに反発しあっていた。

だが今や弥左衛門にとって、瓢六はなくてはならない片腕である。捕り物の助っ人としても、恋の指南役としても。

痛いところを衝かれ、弥左衛門は顔をしかめた。たてつづけに浅漬を放り込む。

源次は猪首《いくび》をすくめ、湯飲みに手を伸ばした。

二人は黙って茶をする。

「ところで瓢六はどうした？」弥左衛門は庭木戸に目を向けた。「呼びに行ったのではないのか」

源次は「へい」といってから、「いえ……」といいなおす。「あっしが参りやしたときは、あの二人、まだいちゃついておりましたんで。旦那がお待ちだと申し伝えますと、そんならひとっ走り湯屋へ寄ってからおうかがいすると」

「湯屋？」

「女の家からそのままってのもなんだ、身を清めてくるとかなんとか」

弥左衛門は舌打ちした。囚人のくせに情婦の家に入り浸って、これみよがしに〝身を清める〟もないものである。

「湯なんぞ入って落ちる垢《あか》か」

憎まれ口をきいたときだった。

「落ちたか落ちねえか、とくと見てもらいてえな」

木戸が開いて、瓢六が入って来た。こざっぱりとした小袖を着流し、髭もあたって、肌はぴかぴか、ほれぼれするような男ぶりである。

瓢六は颯爽《さっそう》と縁側に近寄り、

「浅漬か」

小鉢を覗き込んで、ふふんと鼻を鳴らした。

「漬物に茶とは爺むさいや。酒はねえのか」

弥左衛門は下戸だ。酒はない。わかっていながら訊ねる。

「昼日中から酒でもなかろう。そんなことよりその……例の相談だ」

へらず口を聞き流して、弥左衛門はきまり悪そうに声を落とした。

瓢六は縁側に腰を下ろして、ひょいと浅漬をつまむ。

「縁談をぶっつぶすってェ話なら合点承知」

「しっ。声が大きい」

弥左衛門は両隣の塀に視線をめぐらせた。奉行所同心は役宅として八丁堀に百坪あまりの家を拝領している。いずれも似たような簡素な造りの家で、両隣の境は薄っぺらな板塀だった。今も隣家から子供の声や薪割りの音が聞こえている。

「お八重さまのことならよ、おいらにまかせておきなって」

瓢六がわざとらしく声をひそめると、源次も大仰にあたりを見まわした。

「そのお八重さまですがね、縁談のお相手は御広敷御用人・吉田惣兵衛《そうべえ》さまのご嫡男、惣太郎《そうたろう》さまと申しますんでさ。お年は二十八。家柄もよく、男ぶりもなかなかで、武芸にも優れ、あっしが調べましたところでは近所の評判もよろしいようで……」

「御広敷御用人？」

「将軍家御台所さまのお身のまわりの品を買い入れるお役だ」

奉行所同心の家で大の男が三人、額を寄せ合って密談している。人が見たら、大捕り物の相談でもしていると思うにちがいない。

弥左衛門は吐息をもらした。

惣太郎は初婚だという。やもめの上に無骨な風貌、忠右衛門から〝不浄役人〟とのしられた奉行所同心の弥左衛門とは、月とすっぽんだった。

「して、見合いはどうだったのだ？」

「惣太郎さまはお八重さまがたいそうお気に入られたご様子で、来春には祝言を挙げる運びとなりましたとか……」

源次は上目づかいに弥左衛門の顔色をうかがった。

これでは端《はな》から勝負にならない。弥左衛門は悄然とうなだれている。

しんとしたところで、ぱりぱりと小気味よい音が鳴り響いた。瓢六がうまそうに浅漬を食べている。

弥左衛門はむっとした。

「たった今、『合点承知』といったな。なんだ、えらそうなことをぬかしおって」

ついつい八つ当たりをする。

瓢六は顔を上げた。源次の渋茶を一気に飲み干して、「ま、焦りなさんな」と、けろりとして応えた。

「祝言までにはまだ間がある。おいらが承知したからには、きっとぶっつぶして見せる。

瓢六の言葉に嘘はねえや」

「つぶせるものか。相手は御広敷御用人の嫡男。しかも初婚だぞ」

「だからなんだってんだ」

「男振りもよく、近所の評判もよく……」

「まやかしさ」

「まやかし？」

弥左衛門と源次は顔を見合わせた。

「いいことずくめに見えるなァ偽物だ」

瓢六は小鼻をうごめかせた。

「こいつは唐代の焼物だ。この値じゃぁ手に入らねえと、商人は揉み手で勧める。なるほど見た目はその通り。色もいい。形もいい。疵《きず》もない。だがちょいと待て。そんならなんで高い値をふっかけねえんだ？　偽物だからさ」

瓢六は目利きをしていた。真偽を見分ける目は鋭い。

「おんなじさ。そんなにいいことずくめなら、なんで惣太郎って野郎は、二十八になるまで嫁をもらわなかった？　今頃になって嫁き遅れた御家人の娘を娶《めと》るんだ。いくらだっていい縁談がありそうなもんじゃあねえか」

「それはその……器量好みで……こたびようやく八重どのにめぐり合い、ひとめ惚れをして……」

「器量好みだけなら、旗本の娘にだっていくらでもいらあ」

御広敷御用人は旗本、賄組頭は御家人、家の格からしてちがう。おまけに八重は世間知らずで人見知りがはげしく、二十二になる今日まで、家内でひっそりと暮らしていた。大家の花嫁として好もしいとはいえない。

惣太郎を叩けば、きっと埃が出る。これからそいつを叩きだすんだ。瓢六は意気軒昂だった。

「うまくゆくかのう……」

「牢へ戻ったら手も足も出ねえ。どうやってぶっつぶすんだ」

弥左衛門と源次は疑わしげな顔である。

「まかせとけって。先月みてえな災難さえなけりゃあ、地獄にいたって頭は働く」

瓢六はうそぶいた。

「焼物や絵ならいざ知らず、人間さまってなあ疵や汚れがあってこそ本物なんだ。へへへ……となると、旦那も親分も安心だ。これだけ疵だらけなら紛れもない本物だ。おいらが太鼓判押してやらあ」

三

牢へ戻る日が近づいたとある午後、瓢六は馴染みの湯屋へ出かけた。

——湯屋でなけりゃあ、浴びた気がしねえや。

お袖の家にも内風呂があるのだが、江戸っ子のような台詞を吐いて、娑婆にいる間は足しげく通っている。正真正銘の江戸っ子であるお袖も大の湯屋好きだが、この日はお座敷。瓢六は一人だった。

暖簾《のれん》をかき分けてなかへ入ると、番台にいつもの杵蔵《きねぞう》がいた。

杵蔵は無口で無愛想な男だ。貧相な体をこごめ、青むくれた顔を終始うつむきかげんにして、客の手元だけを見つめている。が、はれぼったいまぶたに埋もれた目は、ひとたび掏摸《すり》や置き引きでもあろうものなら、決して見逃さなかった。歳はいったいいくつか。四十といわれればそんな気もするし、五十半ばと聞けばそうも思える。

「親父。ひと風呂もらうぜ」

瓢六は十文の湯銭と銅銭を包んだおひねりを、杵蔵の膝に置いた。

杵蔵は目を上げた。瓢六の眸をじっと見つめる。

杵蔵がおひねりを袖口に放り込むのを見て、瓢六は番台を離れた。

午後のこの時間、男湯は空いていた。女湯のほうがにぎわっている。反対に午前は朝風呂好きの隠居、夕刻から宵にかけては仕事を終えた職人や人足で男湯のほうが混み合う。

「おっと、瓢六の兄い」

ざくろ口へ向かおうとすると、湯汲みの平吉が愛想よく声をかけた。平吉は丸顔の小柄な男で、大の噂好きである。杵蔵と足して二で割ればちょうど人並みになる。

「名物婆さんが来てるんだ。ちょいとした座興が見られますぜ」

平吉は眸を躍らせた。

「名物婆さん?」

「湯屋荒らしでさ」

わかっていてなぜお縄にならないかといえば、婆さんは金目のものには見向きもしないで、紅木綿の蹴出しばかりをかき集めて持ち去ろうとするのだと平吉は説明した。蹴出しは裾除けの下着で、裏地には紅絹《もみ》を使う。下々《しもじも》の者は紅絹の代わりに紅木綿を使用した。

頭の惚けた婆さんである。せいぜい小言をたれ、つまみだすしかない。それでも湯に入りに来ればしかたなしに入れてやるのは、身寄りのない婆さんをあわれむ人情のゆえだった。

「身寄りがねえのか」

「孫娘が奉公先で死に、そのあと息子が首をくくり、嫁は重い病で里へ帰った。婆さんはたった一人で、入船町の五郎兵衛《ごろべえ》店《だな》に住んでいます」

「五郎兵衛店?」

聞いたことのある名前だった。首をひねったものの思いだせない。

「入船町っていやあ、そんな遠くから通って来るのか」

「近場の湯屋はお出入り禁止になったんだそうで」

野郎ならともかく、婆さんが蹴出しを盗んでどうしようってんだ。平吉は忍び笑いをもらした。

瓢六は湯船につかった。この心地よさは千金に値する。

瓢六の目から見れば、地獄も娑婆も似たようなものだった。だがひとつだけ、大きなちがいがある。

名主にも贅沢三昧させてやりてえな――。好きなとき好きなだけ風呂に入る贅沢が、できるかできないか。

名主の雷蔵は重罪人だ。生きて牢獄を出る日はないだろう。雷蔵の茫洋とした顔を思い浮かべて、瓢六は吐息をもらした。

糠袋で体をこすり、洗い場で平吉に上がり湯をかけてもらっていると、案の定、女湯が騒がしくなった。二、三人の女が金きり声でわめきたてている。

「そら、はじまった」

平吉はくるりと目玉をまわした。

瓢六は身仕舞いをして湯屋を出た。番台に杵蔵の姿がないのは、女湯で湯屋荒らしの婆さんを取り押さえているからだろう。

道端に陣取って、女湯の入口を眺める。

人には疵や汚れがあると、先日は調子に乗ってつい知ったようなことをいってしまった。捕まるとわかっていながら湯屋で紅木綿の蹴出しを盗む婆さんには、いったいどんな疵があるのか。

しばらく眺めていると、道の向こうから、女湯の湯汲みの伊助にせかされて源次が駆けて来るのが見えた。瓢六には気づかず、女湯へ入ってゆく。いくらも待たないうちに、しなびた婆さんの腕をつかんで表へ出て来た。

「おう。親分」

声をかけると、わっと飛びのく。

「なんだ、おめえか。おどかすない」

湯上がりの瓢六を見て、源次は眉をひそめた。囚人のくせに昼日中からのんびり湯屋通いかと思ったら、湯屋荒らしの婆さんに翻弄《ほんろう》される自分が割りに合わないような気になったのだろう。

瓢六は屈託がなかった。

「送ってくのか」

婆さんに目を向ける。

「しかたがねえ。放っておくわけにもいかねえからな」

「そんならそこまで、一緒にゆくぜ。五郎兵衛店ってなあ、どうもどっかで聞いたことがあるような気がするんだ」

歩きながら、地獄の住人の顔をひとつひとつ思い浮かべた。

婆さんはむっつりと黙りこくったまま、それでも達者な足取りで歩いている。湯にゆっくりつかったらしく、小さな体からほかほかと湯気が立っていた。

「なんてえ名だ？」

瓢六が訊ねると、

「ちえってんだ」

源次が答えた。

「ちえ……か。なるほどな。惚けたふりをするたあ、なかなか知恵がまわる」

　瓢六はひとりごちた。

　婆さんはちらりと瓢六を見上げたが、やはり口をつぐんだままだった。

　二人は婆さんを五郎兵衛店へ送り届けた。棟割長屋のその家は黴《かび》くさく、畳はすすけて、古ぼけた夜具と木箱で作った仏壇があるだけだ。仏壇の前にうずくまり、経を唱えはじめた婆さんを置いて、瓢六と源次は路地へ出た。

「まったく人騒がせな婆さんでさ。そのたんびに呼びつけられたんじゃあかなわねえと、番太郎がぼやいてやがる」

　いつもなら番屋から番太郎が飛んでゆく。たまたま番太郎が不在で、居合わせた親分が駆けつけたのだが、婆さんに手こずらされている話はいやというほど聞かされているという。

「調べてみねえのか」

「何を調べるんだ」

「婆さんがなぜ蹴出しを盗むのか」

「そんなくだらねえことにかかわってる暇はねえ。どうせ惚けた婆さんだ」

「そうかな……」

　木戸まで戻ったところで、瓢六は「あっ」と声を上げた。

「わかった。五郎兵衛店には松庵の家があるんだ」

「だれだ、松庵ってのは？」

「地獄の仲間さ。娑婆では贋医者だった」

初老の贋医者・松庵には古女房がいると聞いていた。瓢六と松庵はなぜか妙にウマが合う。先月、牢獄中を敵にまわしたときも、松庵だけは瓢六の身を気づかってくれた。

「せっかく来たんだ。様子だけでも見てゆくか」

瓢六は路地の奥へ引き返した。

井戸端で洗い物をしている女房に訊ねると、松庵の家を教えてくれた。長年連れ添った夫はお縄になって牢獄暮らし、目下、沙汰待ちの身である。さぞや心細い思いをしているにちがいない。松庵が無事でいることを知らせ、伝言があれば届けてやろうと思ったのだが——。

とんだお節介だった。

松庵の女房は家にいた。こめかみに頭痛封じの米粒を貼りつけた、見るからに癇《かん》の強そうな女である。松庵の名を出すと、いきなり罵詈《ばり》雑言《ぞうごん》を浴びせかけた。

「恥っさらしったらありゃしないよ。贋医者だ、こそ泥だと後ろ指さされてさ。あの宿六に会ったらいっとくれな。金輪際、顔も見たくない。とっととくたばっちまいなってね」

いい返す間もなく、目の前で破れ戸が音高く閉まった。

松庵の柔和な顔を思い浮かべ、重い足取りで木戸口へ戻る。

「おっと親分。待っててくれたのか」

源次は苦笑を浮かべていた。

「どこもおんなしってことだ。嬶《かかあ》ほど怖いもんはねえ」

二人はつれだって木戸をくぐる。

くぐったとたん、妙な気配を感じた。だれかが見張っているような……。

好きにしやがれ――。

根比べなら望むところだ。瓢六は知らん顔で歩きはじめる。

「それはそうと、旦那はどうしてる？」

「腹下しだ。浅漬を食いすぎたんだとさ。さっき顔を出したら、青い顔でうなってた」

瓢六は吹きだした。

「となりゃあお袖をつれて、見舞いに行かにゃあなるめえな」

四

地獄には地獄の音がある。

風のうなりのような、虫の羽音のような、人の吐息のような――それでいてそのどれともちがう、重く低く、骨の髄にしみ入る音だ。死を待つ者の体から立ち昇る生への執着が、さまざまな物音と混じり合うとこんな音になるのかもしれない。

瓢六は板床にあぐらをかき、地獄の音に耳をかたむけていた。

牢が好きだ、などとかっこをつける気はない。暗くて臭くて汚くて、恐ろしいところだ。それでもこうして牢へ戻ると、かすかな安堵があった。疎《うと》ましいがなつかしい郷里へ帰って来たかのような……。ここでは、だれもが生まれっぱなしの自分に戻るからだろう。

三月前まで、瓢六は客分の扱いを受けていた。牢獄の身分は——娑婆も似たようなものだが——大半が銭で決まる。瓢六にはお袖が貢いでくれる銭があった。それに加え、目利き時代に身につけた知識と人好きのする性格、弥左衛門の後ろ楯がある。三枚重ねの畳に寝そべり、気ままに暮らしていた。

先々月、見事にしっぺ返しを食らった。取るに足らぬ一囚人の仲間入りをしたとき、はじめて地獄の苦しみを味わった。だからといって聖人ぶるつもりはないが、今ではもう三枚重ねの畳で寝る気にはならない。

名主の雷蔵は、奥まった一劃の九枚重ねの畳の上で鼾をかいていた。役付きの者たちはそれぞれの身分に応じたねぐらで、平の囚人は一畳に数人が詰め込まれて、各々寝息をたてている。

十一月の獄舎はしんしんと冷え込んでいた。板床は氷のようだ。浅葱木綿の袷では寒さはしのげない。凍えぬように体をゆすっていると、

「なぜ畳で寝ない?」

松庵が這い寄って来た。

「なぜ、てえわけじゃあねえが……」

「そういうところがな、鼻持ちならんといわれるぞ。おまえさんがむきだしの床で寝た

ところで、だれの得にもならん」

「おめえのいう通りだ」

瓢六は素直に松庵の畳へ腰を移した。

「そうだ。おめえの家は五郎兵衛店だったたっけな」

ふと思いだして訊ねる。

「うむ。小汚い棟割長屋だが、嬶とおなじで、見場は悪いが居心地はいい」松庵は喉の奥で笑った。「五郎兵衛店がどうかしたのか」

「たまたま裏店の住人に会いに行く用事があったんだ」

松庵は身を乗りだした。

「行ったのか。嬶に会ったのか。達者にしていたか。難儀しちゃあいねえだろうな」

たてつづけに訊ねる。

「それがうっかり、おめえの家があるのを忘れてた」

女房の身を案じている老人に、「とっととくたばれ」と怒鳴られ、目の前で戸を閉ざされたとはいえない。残念そうにため息をつく松庵に「済まねえな」と謝った上で、

「ちえって婆さんを知らねえか」

瓢六は訊ねてみた。

実をいうと、今の今まで湯屋の事件は忘れていたのだ。目下の関心事は八重の見合い相手、吉田惣太郎の汚点を調べあげることである。牢へ戻るや、囚人どもを集めて、何か思いだしたことがあったら教えてくれと頭を下げた。

大牢には、職種も生まれも異なる男たちがひしめいている。囚人の見聞は馬鹿にならない。これまでも助けられている。

婆婆の仲間は婆婆の仲間で手がかりを集めているはずだった。瓢六の頭に、湯屋荒しの婆さんの入り込む余地はなかった。松庵と五郎兵衛店の話をしなければ、このまま忘れていたにちがいない。

「知っておるとも」

松庵は答えた。松庵が知っていた頃のちえ婆さんは、ちゃきちゃきした気働きのよい老女で、裏店でも評判がよかったという。

「一人息子が日本橋の呉服屋で通い番頭をしておったんじゃ。婆さんは嫁との折り合いが悪く、息子夫婦の家に住むのは気詰まりだといって、裏店にひとり住まいをしていた。そんな事情だから、わしらとちがって暮らし向きがいい。あの頃は息子や孫娘もときおり訪ねて来ておったし……」

湯屋荒らしをするようには見えなかったと、松庵は首をかしげた。

「その息子も孫娘も死んじまったような話だったぜ」

瓢六は湯汲みの平吉の話を伝えた。

松庵は絶句した。

「孫娘が奉公先で死んだ。そのあと、息子も首をくくった。女房は重い病で里へ帰ったそうだ」

「そういや、ちえ婆さんがうれしそうに挨拶に来たことがあったっけ。呉服屋の……ええとあれは大和屋だったか、そこの養女ということでお旗本の……」

いいかけて眉をひそめる。

「待てよ。お旗本の名前はたしか……吉田さまじゃあなかったか」

瓢六はおどろいて松庵の顔を見返した。

「そうだ。吉田さまだ。御広敷御用人をなさっておられる……」

「ほんとかッ。まちげえねえな」

「ああ。思いだした。たしかにお旗本の吉田さまだ」

ひょんなことから、ひょんな話が飛びだした。

「ありがてえ。おめえのお陰で糸口が見つかった」

瓢六は有頂天だった。寒さなどどこかへ吹き飛んでいる。

もしや、ちえ婆さんの孫娘の死に、惣太郎がからんでいはすまいか。孫娘が死んだあと、父親は首をくくったのである。突拍子もない考えではあったが、かといって、まんざらありえぬこととはいいきれなかった。

もしそうなら、旗本の吉田家が身分の低い御家人の、しかも嫁き遅れた娘を嫁に迎えようとしている訳も合点がゆく。そうであってくれれば、八重との縁談をぶちこわす恰好の理由があるわけだ。

「これで安眠できそうだ」

瓢六はごろりと横になった。手足を伸ばして寝られることがどれほどありがたいか、今となってはよくわかる。

目を閉じると、紅の蹴出しが浮かび上がった。蹴出しをつけているのはお袖だ。他には何も着ていない。形のよい乳房がゆれ、乳首がつんと立ち上がる。お袖は蹴出しに手をかけた。左右に開いて、はらりと足元へ落とす。

と、そのとき、

「ふあっくしょん」

鼻先で松庵がくしゃみをした。

蹴出しの下からあらわれるはずのお袖の下半身はあえなくかき消え、瓢六の眼裏《まなうら》に、松庵の女房の、こめかみに米粒を貼りつけた般若《はんにゃ》のような顔が浮かび上がった。

五

同心詰所を出たところで、弥左衛門は粕谷平太郎と鉢合わせをした。

「よいところで逢った。どうだ？　なんぞわかったか」

粕谷は弥左衛門の同僚で、北町奉行所の同心である。

勢い込んで訊ねると、粕谷はちらりと周囲に視線を走らせた。

「ここではまずい。帰り道で話そう。我が家へ寄ってもらってもよいのだが、妻が里へ帰っておるゆえ」

「義母上《はは》の具合がようないのか」

妻女の母は病弱でしばしば寝込む。そのたびに妻が里帰りをすると、粕谷はこぼしている。

「たいしたことはあるまい。娘の顔を見るための口実だろう」

粕谷が詰所で用事を片づけるのを待って、二人は帰途についた。

十一月半ばに入って、江戸の冷え込みは一段ときびしくなっている。いくらも行かないうちに粉雪が舞いはじめた。

いかつい体を丸め、ふところ手で歩く弥左衛門の横で、粕谷はいつもながらの快活な顔で空を見上げている。

「本降りになるやもしれぬ」

「さようなことより、例の話だ」

「その件はまァ、ゆるりと」

ちと込み入っておるゆえ、と粕谷は目くばせをした。箱荷を背負ってあとにつき従う小者二人に離れているよう申しつけ、おもむろに口を開く。

「大和屋の養女、名はいねというのだが、お手打ちになったとの噂があるそうだ」

瓢六から報告を受け、弥左衛門はちえ婆さんの身辺を調べた。婆さんの息子は藤助という名で、日本橋の呉服屋、大和屋の番頭をしていた。住み込み先の店の蔵で首をくくったのは昨年の春先である。藤助の娘いねは、松庵がいった通り、御広敷御用人の吉田惣兵衛の屋敷に奉公していた。

そこまでは簡単に調べがついた。だが店の者の口はかたい。源次に聞き込みをさせたものの、いねの死因については曖昧だった。いずれにせよ武家屋敷内で起こったことなので、源次の手には余る。

そこで、藤助の縊死《いし》事件を扱った粕谷に助力を請うた。

粕谷はけげんな顔をした。藤助は大切な帳簿をなくしたことを責められ、それを苦にして縊死したと、当時の調べでは結論が出ていた。不審な点はないという。

――なにゆえ今頃になって、済んだことを蒸し返すのだ？

恋い焦がれた女の縁談に横槍を入れるためだとはいえなかった。

――吉田さまにかかわることで、少々気がかりがあるのだ。藤助の死が娘の死にからんでいると噂する者がおるのだ。

――噂に振りまわされておっては体がいくつあっても足らぬぞ。

粕谷は弥左衛門の真意が他にあることを見抜いたようだった。が、深くは問いたださず、調べてみようと請け合った。その成果が、たった今耳にした、いねの死にかかわる不穏な噂である。

「お手打ち？　なにゆえさような……」

「単なる噂だ」

「火のない所に煙は立たぬ。なんぞ他にはわからぬのか」

「残念ながら……」

弥左衛門は肩を落とした。いねの死に惣太郎がかかわっていたという証拠が見つからなければ、縁談はぶちこわせない。

友の落胆した顔を横目で見やり、「だがの……」と粕谷はつづけた。「藤助が娘の死に不審を抱いていたのはたしかだ。いねが死んだあと、主人と藤助の間がぎくしゃくした。しばしば口論をしているところを店の者たちが見ている。吉田家へいねを奉公させるよう勧めたのは大和屋の主人ゆえ、娘の死を逆恨みした藤助が帳簿をどこぞへ隠したのだと、さよう疑っている者もおったそうな」

事件の記録を調べなおし、あらためて店の者たちから話を集めたのだという。

弥左衛門は白い息を吐いた。

「頼みの綱は惚けた婆さん一人か」

ぼそりとつぶやく。

粕谷は弥左衛門の顔を見返した。

「婆さん？」

「藤助の母親だ。奇矯《ききよう》なふるまいがあるゆえ、近隣の顰蹙《ひんしゆく》を買っている」

「奇矯なふるまい？　もしや、紅絹の蹴出しを振り立てて大和屋に乗り込んだのではないか」

弥左衛門は目をしばたたいた。

「いや。湯屋で蹴出しを盗もうとした。それも一度や二度ではない」

「ふむ。大和屋へやって来て、主人をつかまえ、蹴出しがどうこうしゃべりちらした老婆がおったそうだ」

「なんといって乗り込んだのだ」

「紅絹は裏地に使うものだ、そんなことはだれでも知っている、とかなんとか……埒もないことだ」

粕谷は肩の雪を払った。ひどくなってきた、急ごうと同僚をうながし、歩みを速める。

「吉田家のことだが……」ひと足先を歩きながらつづけた。「南町の与力、小野友次郎さまの遠縁に当たるそうな。そういえば今度のことで思いだしたのだが、数年前にも、吉田さまのご嫡男に斬りかかった男というのがお縄になった。南町の扱いだったゆえ詳しいことはわからぬが、吟味もろくに受けぬまま打ち首になっている」

「斬りかかった？　どういうことだ」

「妹の仇、と叫んだらしい。そやつの妹は芸者で、名は春代。吉田さまの座敷にも呼ばれたことがあったというが、届けは病死だ。つまり、斬りかかったのは男の逆恨みだということでカタがついた」

思いがけない展開に、弥左衛門は棒立ちになっている。

粕谷は足を止め、振り向いた。

「なんぞ厄介ごとに首を突っ込んでおるのか」

「うむ。手のひらの雪と思ったが、あっという間に雪だるまになった」

「ぐずぐずしていると、おれたちこそ雪だるまになるぞ。さ、行こう」

弥左衛門も歩きはじめた。胸のなかで嵐が吹き荒れている。

いねの一件だけなら、単なる噂として片づけることもできた。だが惣太郎は、数年前にも女の死にかかわっていた。疵や汚れのない人間はいないとうそぶいたのは瓢六。惣太郎には、おぞましい疵があるのではないか――。化けの皮をはがしてやりたい。だが簡単にはゆきそうになかった。確証がなければ手の打ちようがない。たとえ確証が見つかったとして、そのあとには八重や傲岸《ごうがん》きわまる父親・後藤忠右衛門にどうやって知らせるかという大問題もひかえている。

「そういえばおぬし、先だっても縁談を断わったと聞いたが……。だれぞ意中の女でもおるのか」

考えごとをしていると、粕谷が唐突に話題を変えた。

うっかりうなずき、真っ赤になる。

「ば、馬鹿な。おるわけがなかろう」

「それにしては、あわてておるではないか」

粕谷はにやにや笑った。

探るような視線がうっとうしい。

「凍えそうだ。先に参るぞ」

弥左衛門は乱暴に雪を払い、せかせかと歩きだした。

六

地獄の食事は一日二回、麦の混じった飯と実のない汁だ。

以前の瓢六は、お袖の差し入れで腹を満たしていた。地獄の飯には目も向けなかった。今では率先して食べることにしている。ぼそぼそとそっけないが、それはまぎれもない地獄の味だった。嚙みしめればほろ苦く、腹へ納まれば熱い塊になる。

その朝、物相飯《もっそうめし》を食い終えようというときだった。

足音がした。鍵役同心と配下の同心の二人がうちそろってやって来た。三人が格子越しに牢内を見まわすと、囚人どもはあわてて飯を呑み込み、息をひそめる。

汁をすすり込む音、食器の鳴る音、くさめ、おくび、それにときおり響きわたる罵声……物音がぴたりと止んだ。

大牢の囚人は、江戸市中に七箇所ある大番屋での吟味では沙汰が決まらず、さらなる吟味を受けるために送られて来た。つまり重罪の疑いが濃い者たちである。白州へ引きだされれば大半が死罪か遠島、佐渡の金山送り。運がよくても向島の人足寄場へ送られるか、入れ墨を施されて重追放となる。無罪放免となる者は百人に一人がいいところだ。

白州へ引きだされることを〝お呼び〟という。それは突然やって来る。役人に名を呼ばれて連れ去られた者は、二度と大牢へは戻れない。

この時刻に鍵役同心が配下を引き連れてやって来るのは〝お呼び〟があるからだった。今度こそ自分の番ではないかと、だれもが怯えている。

目を伏せ、ふるえている囚人どもを、鍵役は平淡な目で見わたした。その視線が、瓢六の隣の老いた男の上で止まる。

「松庵」

松庵ははじかれたように顔を上げた。

瓢六は凍りついた。

緊張が解け、いっせいにざわめきが戻る。

「出ろ」

鍵役は声を張り上げた。

松庵は腰を上げた。立ち上がったとたんによろめく。が、体勢をたてなおし、大きく息を吸い込んだ。

「待ってくれ」

瓢六は我を忘れて、松庵の足にとりすがった。

かつて牢内で〝ちょぼくれ〟と呼ばれる老人がいた。お調子者のちょぼくれには松庵のような風格はなかったが、二人は似たような歳、似たような背恰好だった。瓢六はしばしば二人を重ね合わせてみたものだ。

聡明な松庵と破天荒なちょぼくれが胸の奥に抱えているものは、案外、おなじものかもしれない。そんなふうに考えてみたこともある。

あれは瓢六が娑婆に出ている間だ。ちょぼくれに〝お呼び〟がかかった。牢へ戻り、遠島になったと聞いたときは、はげしい衝撃を受けた。あの日の無念が思いだされる。

「おいらがなんとかする。旦那に頼み込んで、少しでも軽い刑で済むように……」

松庵は瓢六の肩にしわ深い手を置いた。

「余計な心配はせんでいい。覚悟はとうにできておる」

おまえさんに逢えてよかったよ——松庵は穏やかな顔でいった。が、肩に置いた手は小刻みにふるえていた。

「そうじゃ。今度、娑婆へ戻ったら、嬶に逢ってやってくれ。わしの身をさぞや案じておるはずだ。このしわ首が落とされてもの、おまえのことは後生忘れぬと、さように伝えてもらいたい」

瓢六は返す言葉がなかった。呆然と老いた友を見上げる。

「もたもたするな」

鍵役が怒鳴った。

松庵は囚人どもの間をかき分け、くぐり戸の手前まで歩いて行った。そこでくるりと後ろを振り向く。仲間に向かって深々と頭を下げた。

ざわめきが途絶えた。だれもが胸をつまらせ、洟《はなみず》をすすりながら贋医者を見送る。

瓢六は目を上げられなかった。友が牢番に小突かれながら去ってゆく姿など見たくない。両手をつき、首をたれて、黒光りのする床を眺める。

眼前にあるのは、囚人どもが毎朝せっせと磨き込んだ床だ。汗や涙、血の匂いがしみ込んだ床だ。新たな涙が床をぬらし、またひとつ、悲しみというしみが加わる。

出会いのあとには別れがあるのは、娑婆も地獄もおなじだった。

こらえきれず、名主の雷蔵を見上げた。

雷蔵はいつものように瞑想にふけっていた。新入りが送り込まれる。古参《こさん》の囚人に〝お呼び〟がかかる。骸《むくろ》になって、あるいは息も絶え絶えの病人となって、去ってゆく者もいる。九枚重ねの畳の上で、雷蔵は数限りない出会いと別れを見てきたのだった。なにごとにも我関せず、人と交わらず、ひたすら瞑想にふける雷蔵の気持ちが、瓢六にはわかるような気がした。

松庵、死ぬなよ――。

瓢六は虚空を見つめ、神仏に祈った。

七

「な、なんであっしが……」

「いいからつべこべ申すな」

「申すなったって、どうしてあっしが一緒に行かなくちゃならねえんで」

「なんでもへちまもない。わしが命じておるのだ」

「こればかりは旦那、どうかご勘弁を」

「旦那の仰せとあらば火のなか水のなか、といったのはどこのどいつだ」

「火のなか水のなかなら喜んで。けどこいつは火より怖い……」

お袖の家の玄関で、弥左衛門と源次がもみ合っている。

無我夢中だったので、二人は近づいて来る足音に気づかなかった。

「おや、旦那。親分さんもおそろいで。何かあったんですか」

親しげに声をかけられて棒立ちになる。

路考茶《ろこうちゃ》の小袖に黒繻子の帯、髪を島田に結い上げ、風呂敷包みを抱えたお袖が、婉然《えんぜん》と微笑んでいた。

「いやその……折入って相談が……」

弥左衛門がしどろもどろにいいかけると、

「ちょいと用事を思いだしましたんで、へい、あっしはこれで」

源次は逃げようとした。

「いいじゃありませんか」お袖は源次の袖をつかんだ。「せっかくいらしたんですから、お茶でも飲んでいらしてくださいな。ほら、ご贔屓さまにね、船橋屋の羊羹をいただいたんですよ」

風呂敷包みをぽんと叩いて見せる。

弥左衛門と源次は有無をいわさず茶の間へ引き込まれてしまった。

「で、なんです、あたしに相談ってのは？」

炬燵《こたつ》に火を入れ、部屋の隅の火桶の火をおこして鉄瓶をかけ、甲斐甲斐しくお茶の支度をしながら、お袖は上目づかいに二人の顔を見比べた。

「実は四年前の事件について調べておるのだが……」

「玄人衆は口がかたくて、あっしじゃあ埒があかねえんで」

お袖は忍び笑いをもらした。

「春代姐さんのことなら、とうに調べがついていますよ。お旗本のご嫡男、吉田惣太郎さまに殺されたんです」

二人が目をみはるのを見て、

「惣太郎さまはね、あのときに女を痛めつけるのがお好きという困った癖をお持ちだそうで。あのときってのはほら、床に入ったときですよ。それが少しばかり行き過ぎて……」

お袖は思わせぶりに目くばせをした。

弥左衛門は空咳をした。源次も居心地が悪そうに尻をもぞもぞさせる。

「いえね。悪いお人じゃないんですよ。家柄もよく男ぶりもいい。女はだれでも夢中になる。情を交わすまではいいんです。そのうち怖くなってくる。同じような目に遭った女は片手じゃきかないそうですよ」

相手が玄人だったので、近隣に悪い噂は立たなかった。店のほうでも、旗本の嫡男の性癖をしゃべりちらすわけにはいかない。春代は病死と届け、惣太郎の相手をした女たちには固く口止めをした。

惣太郎は一時期、吉原でも遊び惚けていたという。遊ぶ金の出所は大和屋で、惣太郎が問題を起こせば南町奉行所の小野友次郎がもみ消すという手順が、いつの間にか出来上がっていた。

「さあ、どうぞ」と、お袖は二人にお茶と羊羹を勧めた。「これぱかりは床入りしてみなけりゃわかりませんよねえ。考えてみれば、世間さまじゃあ何も知らずに夫婦になるんだから、なんだかぞっとしますねえ。祝言を挙げる前に一度、試してみりゃあいいのに」

石のように固まっている男たちを、お袖はおもしろそうに眺める。

「もっとも惣太郎さまも、若気の至りで少々はめをはずしただけかもしれません。近頃は神妙に暮らしておられるそうですよ。後藤家では何も知らず、吉田家との縁談をたいそう喜んでおられるとか。さ、親分、おひとつ」

お袖にしつこく勧められ、源次は羊羹に手を伸ばした。

「それにしても、どうしてお袖さんはそんなことを知っていなさるんで?」

あわただしく食べ終えたところでおもむろに訊ねる。

お袖は小気味よさそうに笑った。

「そりゃ六さんですよ。牢にいたってね、六さんには目もあり耳もある。娑婆にだっていくらでも手足となって動く者がいるんです。のろまなお上とはちょいとちがうんだ」

威勢よく啖呵《たんか》を切って、弥左衛門に目くばせをした。

「ね、旦那、なんならあたしがひと肌脱いで、惣太郎さまの相手をしたって仲間を集めましょうか。皆の話を聞けば、お八重さまも恐れをなすんじゃありませんか」

お袖も瓢六に負けず劣らずあまのじゃくだ。が、恐いもの知らずの言動がこういうとき役に立つ。

渋面など浮かべている場合ではなかった。縁談をぶちこわすことは、八重を獣のごとき男から救うことでもある。汚れない八重が惣太郎に痛めつけられる光景を思い描いて、弥左衛門は身ぶるいをした。

「やってくれるか。ありがたい。この通りだ」

恥も外聞も捨てて、畳に両手をついた。

「いやですよ。お奉行所の旦那が芸者に手をついちゃあ沽券にかかわります」お袖はくすくす笑って、「ようございますとも。冬木町のお袖が引き受けたんだ。お八重さまの縁談、きれいに水に流して見せますよ」

とんと胸を叩いたところで、「その代わり……」と声音を変えた。

「六さんを牢から解き放ってもらいます。はじめからそういう約束だったんだ。今度という今度はいやとはいわせませんからね。無罪放免になったら、その足で、お八重さまのもとへ乗り込みましょう」

弥左衛門は狼狽した。瓢六の放免を待っていればいつになるかわからない。

「待て。その件とこの件とは……」

「おなじです」

「瓢六の放免は菅野さまの許しがのうては……」

「もらえばいいでしょう」

「菅野さまは目下ご思案中だ。あわてずとも近々必ず放免となる。それゆえ、瓢六の件は一旦、脇に置いて……」

「それならこちらもしばらく様子を見ることにいたします。お八重さまの祝言は来春。間に合うか合わないかは、お奉行所のご沙汰次第ということで……」

お袖の助力がなければ、惣太郎の不埒な行為は暴けない。この件はお手あげだった。

「お袖さん。あっしからも、ここはなんとかひとつ……」

源次も一緒になって頭を下げたが、お袖は頑として意を曲げなかった。

「お上ってのはいつだってのらりくらり。あたしらみたいな下々のことなんかへとも思っちゃいないんだ。その手にはのるもんですか」

ぽんぽんいったところで、一転してにこりと微笑む。

「さ、怖い顔してないで、親分、もうおひとついかがです？　おや、お茶がぬるくなっちまった。旦那、熱いお茶に入れ換えましょうか。お二人とも今日はゆっくり遊んでいってくださいましな」

八

一を聞いて十を知るというが、菅野一之助は、猫の額ほどの坪庭を見て、雄大かつ華麗な景色のなかに遊ぶことができる稀有《けう》な男だった。

傾いた石灯籠や貧弱な山茶花に視線を這わせ、満ち足りた笑みを浮かべている上役を、弥左衛門はいつもなら感心して眺めるのだが――。

今日はそれどころではなかった。がばと手をつき、額を畳にすりつける。

「なんじゃ。大泥棒でも取り逃がしたか」

菅野はおっとりと訊ねた。

「お願いがございます」

「申してみよ」

「瓢六を早々に牢から出していただきとうございます」

なんだ、そのことか、というように、菅野は視線を庭へ戻した。

「じきに十二月だ。いつものように出してやればよかろう」

「そうではなくて、無罪放免、解き放っていただきたいのです」

この正月、はじめて瓢六を牢から出して捕り物の助っ人をさせた際、菅野は手柄をたてた褒美に罪を減じてやると約束をした。それからも無罪放免をちらつかせて、捕り物の手助けをさせた。間もなく一年になる。いくらこちらの都合がよいからといって、いつまでも牢と娑婆を行ったり来たりさせるわけにはいかない。そのことは菅野も承知しているはずだった。

「むろん、ゆくゆくは解き放たねばならぬ。じゃがのう……奴を手放すのは惜しいのう」

瓢六の才覚で落着した事件はひとつふたつではない。囚人の力に頼るとは情けないが、今や瓢六は北町奉行所にとって大切な隠し玉だった。

「そのことなら心配はご無用です。放免したのちも、それがしの片腕となって働くよう申しつけます」

「あやつが素直にいうことをきくものか」

お上は大嫌いだと公言してはばからない瓢六である。解き放ってしまえば、おとなしくいうことをきくかどうか確証はない。

だが、瓢六と弥左衛門は、今ではもう単なる囚人と同心ではなかった。共に手を携え、難事件を解決した相棒であり、友でもあった。

先々月、瓢六は牢内で手ひどい制裁を受け、あわや殺されそうになった。何も知らずに牢を訪ねた弥左衛門は、死にかけた瓢六を見て動転、牢役人に向かってわめきたてた。瓢六が自分にとってどれほど大切な存在か、あのとき思い知ったのである。

それは瓢六も感じているはずだ。弥左衛門の姿を牢の格子越しに見つけた瞬間の、瓢六の眸の輝きを見れば、一目瞭然である。

「おまかせください」弥左衛門は自信たっぷりに答えた。「それがしが知恵を貸せといえば、瓢六はいやとは申しません」

「大きく出たの」菅野は苦笑した。「ひと頃は蛇蠍《だかつ》のごとく忌み嫌うておったに」

「あの頃はその……強請の首謀者だと思うておりましたゆえ……」弥左衛門は口のなかでいいつくろって、「なれば早速にも」と膝を乗りだした。

菅野は首を横に振った。

「ところがまずいことになった」

「まずいこと？」

「昨日、瓢六は騒ぎを起こした。おぬしに連絡しようとしたが非番だったゆえ、やむなく牢役人に直訴に及んだのだ。一刻の猶予もならなかったのだろう」

弥左衛門が首を傾げるのを見て、菅野は吐息をもらした。

「お陰でまたもや南町の心証を害した」

今月は南町奉行所の当番月である。

「いったい何を直訴したのですか」

「松庵と申す四人が白州へ引きだされた。己の罪を減じる代わりに、その男の罪を減じてくれと訴え出たのだ」

「なんと……」

瓢六は人一倍賢い男だった。が、ときとして、無謀で考えなしの行動に出る。それは、哀しみや怒りで、肚に抱いた熱い塊がどうしようもなく煮えたぎったときだった。今の弥左衛門には瓢六の心の動きがよくわかる。

「で、どうなったのですか、松庵は？」

「はじめは佐渡送りになるはずだった。老人ゆえ過酷な労働にはたえられぬ。佐渡へ送られればひと月も持つまい。ところがどたん場で沙汰が変わり、重追放となった」

弥左衛門は目を丸くした。

「なれば瓢六の直訴が功を奏したのですか」

「いや、むろん表向きは一蹴《いっしゅう》された。が、実際はそうではない。あやつの意向が通った」

南町の同心も牢役人も、瓢六を疎んじている。しかも瓢六はまたもや騒ぎを起こし、南町の心証を害した。それならなぜ、南町は瓢六の意のままに動いたのか。

「つまりの……」と、菅野は板塀の上に広がる空に視線を泳がせた。「先だっての事件とこの一件を突き合わせれば、自ずと見えてくるものがある」

「……」

「わからぬか。南町にとって、瓢六は邪魔者だが、かといって表だっては敵にまわせぬ。あやつは火薬を抱えておるのだ」

「火薬？」

「いや、抱えておるのは瓢六の仲間のだれかやもしれぬ。その者が公にされてはまずい秘密を握っておるのだろう。南町の者たちが瓢六の扱いに右往左往しているのはそのためだ」

先々月は、牢内の囚人を焚きつけ、瓢六を抹殺しようとした。今回とりあえず瓢六をなだめておこうとしたのは、あのときの失敗をもとに次なる策を練っているからではないのか。

「公にされてまずい秘密を握っている者とは、もしや例の強請事件の……」

「粕谷から気になることを耳にした。絡んだ糸をたぐれば、存外、端はひとつに結びついておるやもしれぬ」

弥左衛門は思わず「あッ」と声をもらした。

ここ数年、お上の頭を悩ましている強請事件は、ちゃちな強請ではなかった。権勢者や豪商、御典医といった暴利を貪る者ばかりを狙ったものだ。吉田家か大和屋のいずれかが目をつけられたとしても不思議はない。

強請の首謀者はおそらく瓢六の仲間。吉田家の嫡男は八重の縁談の相手だ。おまけに吉田家と大和屋の後ろには南町の影がちらついている。菅野のいうように、そうしたすべてが目に見えないところでひとつに結びついているのだとしたら——。

「さればこそ、瓢六を解き放って……」

胸をざわめかせながら、弥左衛門はなおも食い下がった。

「瓢六は大事な切り札だ。もうしばらく待て。この一件が明らかになったれば、そのときこそ無罪放免にしてやろう」

菅野はやんわりと、だがきっぱりとはねつけた。

惣太郎は事件を解決するための恰好のとっかかりである。惣太郎の過去を暴けば、八重の縁談も破談にできる。だがそのためには、瓢六を放免しなければならない。放免するためには、事件を解決しなければならない。

これでは、どこまでいっても堂々巡りではないか。

「まずは来月、瓢六を牢から出して様子を見ることだ。なんぞ動きがあるやもしれぬ」

弥左衛門の困惑をよそに菅野は淡々といった。瓢六を手の内に留めたまま、囮《おとり》にしようという肚らしい。いや、泳がせておいて、もっと大きな獲物をとらえようというのか。

色白細面の上品な顔に似合わず、菅野は大胆不敵な策をひねりだす名人だった。

「薄《う》っすらと雪の積もった庭に山茶花の紅。簾《みす》を掲げて眺める香炉峰《こうろほう》ではないが、まさに廬山《ろざん》に遊ぶ白楽天《はくらくてん》のごとき心境じゃの」

何ごともなかったかのように庭を見まわしている。

なんのことはない。目の前にあるのはしおれかけた山茶花に土まじりの汚い雪である。

弥左衛門は恨めしげなため息をもらし、上役の官舎をあとにした。

九

五郎兵衛店の路地で、瓢六は舌打ちをした。

ちえ婆さんが住んでいるはずの家には、あらたな家族が住んでいた。

「いったいどういうことだ」

牢を出たその足でここへやって来たのは、自分ならきっと婆さんの心を開き、真実を引きだせると思ったからだ。

本物まがいの偽物もあれば、偽物とだれもが間違える本物もある。余計な飾りや商人《あきんど》の大風呂敷を取り去り、まっさらな目で対峙《たいじ》したときはじめて、物はやさしい心で話しかけてくる。

婆さんは気が触れてなどいない。訳があって奇矯《ききょう》なふるまいをしているだけだ。瓢六はそう確信していた。

身寄りのない婆さんが、一人でどこへ行くというのか。

「ちくしょう。先を越された」

そういえば、源次と二人、婆さんを送って来たとき、あとをつけまわされているような気配がした。

「ぬかったか。かようなことになるとは思いもよらなんだ」

弥左衛門も呆然としている。

弥左衛門に命じられ、源次はあわただしく差配を探しに行った。差配は不在だったが、大家の話では、ちえ婆さんは木枯らしが吹き荒れるなか、ふらりと出かけたまま帰らないとのことだった。半月ほど待ってはみたものの、音沙汰はなし。いつまでも空家にしておくわけにはゆかない。荷物——といっても、木箱の仏壇と煎餅布団、割れ鍋があるだけだったが——は、大家の蔵に押し込んであるという。

「荷物ってやつを見ておきてえな」

瓢六は提案した。

「見るべきもんはねえそうだぜ」

「いいや」弥左衛門が口を挟んだ。「こやつの目は常人とはちがう。なんぞ見つけるやもしれん」

瓢六はにやりと笑った。

「旦那もわかってきたじゃねえか。へへ、おいらの真価がよ」

いつもの調子に戻って茶化したものの、弥左衛門はとり合わなかった。

「なんとでもいえ」

三人はそろって大家の家へ向かった。

「おっと。待ってくれ。松庵の嬶に言伝《ことづて》を頼まれたんだ」

他ならぬ松庵の頼みではあったが、般若のような顔でがなりたてる女房に逢うのは気が進まなかった。あの女のことだ。

――後生おまえのことを忘れない。

松庵の心のこもった言伝など鼻で笑い飛ばすにちがいない。口ぎたなく罵《ののし》るか、最後まで聞かぬうちにぴしゃりと戸を閉ざしてしまうか。

松庵の女房は留守だった。この前は戸口に仁王のごとく立ちふさがっていたので家のなかが見えなかったが、あらためて覗くと、思いの外きれいに片づいていた。

「帰りにまた寄ってみらあ」

待たせたな、と声をかけ、瓢六は二人をうながして木戸口へ向かった。

大家の家は表通りにあった。生業《なりわい》は銅物屋《かなものや》で、五郎兵衛店の他にも数箇所に裏店を所有しているという。店賃《たなちん》の取り立てや店子の世話はそれぞれ差配にまかせているので、大家はちえ婆さんや松庵の女房についてはろくに知らなかった。

「どうぞどうぞ、お好きなように。よろしかったらなんでも持って帰ってかまいませんん」

苔むしたような布団や割れ鍋では場所をふさぐだけで銭にもならない。ちょうどよい厄介ばらいだと、機嫌のよい笑顔である。

三人は手代に案内されて蔵へ入った。火鉢や灯籠、古銅の詰まった箱などが所狭しと積まれた片隅に、婆さんが置き去りにした品々がすえたような匂いを放っている。

「どうだ。なんぞありそうか」

たいした物はないので調べるのは簡単だった。婆さんは読み書きができなかったのか、書き置きの類は見つからなかった。とりたてて目を引く物もない。

「もうよいだろう」

弥左衛門が声をかけると、夜具を調べていた瓢六が顔を上げた。

「脇差しを貸してくれ」

けげんな顔をしている二人を尻目に、脇差しで夜具の端を切り裂く。

「やっぱりな。蹴出しが入ってらあ。こいつは紅絹だな。上物だ。おっとこいつは……」夜具のなかを覗き込んで、瓢六は素頓狂な声を上げた。「帳面だ」

「帳面？」

弥左衛門と源次が異口同音に問い返した。

「大和屋でなくなった代物にちげえねえ」

「どういうことだ？」

「なんで婆さんがそんなもんを隠していたんですかね」

「そいつはまあ、ゆっくり調べてみなくちゃわからねえが……」瓢六は腰を上げた。

「蹴出しのほうは、おそらくいねとかいう孫娘のもんだろうよ」

「そういえば、婆さんは蹴出しを手に、大和屋へ乗り込んだそうな。裏だ表だと妙なことを口走ったというが……」

瓢六は弥左衛門にひょいと脇差しを放った。

「それで謎が解けた」蹴出しを引きだし、ひらひらかかげて見せる。「ほれこの通り。よおく見てみな。表は縮緬《ちりめん》で、裏地は紅絹だ」

いねは武家奉公に上がるだけの作法を身につけていた。呉服屋の番頭の娘でもあった。蹴出しを裏返しに穿《は》くことは断じてないはずだ。

これはあくまで推測だが――と、瓢六はつづけた。

もし、いねの骸が蹴出しを裏返しに穿いていたとしたらどうだろう。頭に血が上った者が、それも自分では蹴出しを穿いたことのない者が、泡を食っていねの下半身を覆ったということになりはしないか。その上から小袖を着せてしまった。

つまり、いねは死んだとき裸だったことになる。

「なある……」

「さすがは瓢六、よいところへ目をつけた」

瓢六はどんなもんだいといった顔で、夜具のなかに蹴出しを突っ込んだ。

「さてと親分、おいらはもういっぺん、松庵の家に行ってみる。ひと足先に帰っていちゃあくれねえか」

「へいへい。それじゃあ、あっしはこれにて」

「おっと待った。済まねえが、お袖の家に届けてもらいてえもんがあるんだがな」

「お袖さんの……」

源次は目をむいた。救いを求めるように弥左衛門の顔を見る。弥左衛門が知らん顔をしているのでため息をついた。

「しかたがねえ。へい、参りますとも。で、何を届けりゃあいいんで？」

「こいつだ」

瓢六は夜具を見下ろした。

源次はごくりと唾を呑み込んだ。

「この汚ねえ布団を……あっしが担いで行くんで？　そ、そいつァご勘弁を」

「なかにまだ何かあるかもしれねえ。そういわねえで運んでくれ」

源次は怖ぞ気をふるい、すがるような目で今一度、弥左衛門を見た。

弥左衛門はそっぽを向く。

「やれやれ。おめえが牢を出ると、決まって災難が降りかかる」

源次はあきらめたように肩をすくめ、夜具を担ぎ上げた。煎餅布団だが、たっぷりと湿気を含んでいるので見た目より重い。

源次がよろけながら出てゆくのを見送って、

「裏店に戻るか」

瓢六は婆さんが置いていった位牌を取り上げた。

「気の毒によ。こんなところに放っぽりだされて。こいつはおいらが預かっておく」

袖で埃を払って、ふところに入れる。

二人は大家に礼をいい、裏店へ戻った。

「まだ、帰っちゃあいねえようだな」

松庵の家はひっそりと静まり返っていた。

陽が当たらないので、路地は寒々としている。貧乏ゆすりをして待っていると、裏店の住人が知らせたのだろう、差配が飛んで来た。

「さきほどは留守にしておりまして」

金太と名乗り、丁重に挨拶をする。

松庵の女房を待っているのだと説明すると、

「おさだなら、もうここにはおりません」

金太はさらりといった。

二人は顔を見合わせる。

「行方知れずか」

ちえ婆さんの失踪が頭にある。瓢六は急《せ》き込むように訊ねた。

すると、金太は、「いえいえ」と相好をくずした。「松庵先生が重追放になると、お奉行所より知らせがありました。するとおさだがあわてて挨拶に参りまして。家を引き払うというのです」

「里か縁者の家へでも行くことにしたのか」

「そうではございません。松庵先生のあとを追いかけて行くというのです」

二人は唖然とした。どういうことかさっぱりわからない。

金太は説明を加えた。

「あの人は一人じゃ飯のひとつも炊けない、この寒さで凍えちゃぁ大変だ、あたしがついていてやらなけりゃあと殊勝なことを申しまして」

「しかし……この前、逢ったときは、とっととくたばっちまえと……」

「おさだはいつもああなのですよ」金太はからからと笑った。「朝から晩まで文句を並べたてているのです。あれほど口の悪い女はいない。ですが、あれほど情の細やかな女もおりません。先生のこととなると、それはもう涙ぐましいほどでして……」

銭に代える物は銭に代え、くたばるまで老いたる夫についてゆくといい残してすっ飛んで行ったという。

「わからぬものだ」

二人は狐につままれたような顔で裏店をあとにした。

「夫婦喧嘩は犬も食わぬというが……」

お袖の待つ冬木町へ向かいながら、瓢六は苦笑する。

おさだはこれからも、こめかみに米粒を貼りつけ、般若のような顔をして、夫に罵詈雑言を叩きつけるにちがいない。松庵は柔和な顔で女房の小言を聞き流す。はるかかなたの名もない村で、再び贋医者稼業をはじめるのか。

瓢六の眼裏に、冬枯れの道を遠ざかってゆく老夫婦の幻が浮かび上がった。

よかったな松庵、おめえは一人じゃあねえんだ――胸の内でつぶやく。

「それにしても……娑婆も地獄も変わらねえな。松庵、おさだ、ちえ婆さん……」

だれもかれもが、目の前をあわただしく通りすぎてゆく。

瓢六の顔をよぎった孤独の影を、弥左衛門は見逃さなかった。強請事件の首謀者の正体を聞きだすことや、お袖を説得することや、吉田家、大和屋、南町の同心・小野友次郎を結ぶ秘密を暴くことや、これからどうやって事件を解決して、なおかつ八重の縁談を破談に持ってゆくか等々……瓢六とは話し合わねばならないことが山ほどある。だが

――。

今は止めておこうと、弥左衛門は思った。

なぜかわからないが、今はこうして、ただ肩を並べて歩いていたい。

「また降ってきやがった」

「こいつは大雪になりそうだ」

空を見上げ、手のひらをかざしながら、そのくせどちらも歩みを速めようとはしない。

灰色の空がうるんで、牡丹雪がほろりほろり落ちはじめた。

さらば地獄

一

松の内も過ぎたのに、新年になった気がしない。

無理もねえや——。

瓢六は牢内を見渡した。

こそ泥の八五郎と巾着切の万吉がにらみあっている。毎度のごとく、厠《かわや》掃除の順番を押しつけあっているのだろう。その二人を博徒の半次郎がけしかけている。半次郎は二度の物相飯《もっそうめし》より喧嘩が好きという男だ。

隅の暗がりでは、店の銭を使い込んでお縄になった与兵衛がふて寝をしていた。反対の隅で、新入りどもを集めて説教をたれているのは贋坊主の玄竹だ。女衒《ぜげん》の勘太は小指の爪で歯をせせっているし、仕事仲間を撲殺した平六は背中をぼりぼり掻いている。最奥の九枚重ねの畳の上では、牢名主の雷蔵が十年一日のごとく瞑目していた。

相も変わらぬ地獄の風景である。

雑煮もなし。屠蘇《とそ》もなし。着古した浅葱木綿の袷を着たきり雀。賀詞もなく明けた年は今日明日の区別もないまま、だらだらと流れてゆく。

瓢六は膝に置いた位牌に目を落とした。

拾った木切れで作ったのか、粗削りの位牌には、いびつな墨文字で「とうすけ、いね」と書き込まれている。

行方知れずのちえ婆さんが、家財道具一式と——といっても煎餅布団と割れ鍋と仏壇代わりの木箱がすべてだったが——一緒に残していったものだ。藤助はちえ婆さんの息子で、呉服屋の番頭をしていた。いねは武家奉公に出ていた孫娘である。二人の死には不審な点があった。突き詰めてゆけば、旗本・大店・奉行所同心、三者がらみの悪事を暴くきっかけになるかもしれない。わかってはいたが、藪をつつけば蛇が出る、娑婆の仲間のからむ強請《ゆすり》事件まで白日のもとにさらされる心配があるので、手をこまぬいている状態だった。

「そういやァ、あれからちょうど一年か」

瓢六はだれにともなくつぶやいた。ついでに大あくびをする。

「おいらも物好きだが、奉行所の旦那衆もいい気なもんだぜ」

囚人の知恵を頼るとは、奉行所もよほど人材不足にちがいない。

位牌をふところに突っ込み、板床に仰向けになった。

いいかげん、飽きがきていた。

まずい飯や悪臭を放つ獄衣、一畳に数人がひしめく窮屈な寝床なら、とうに慣れっこになっているから、そのせいではない。

大牢に収監されているのは未決囚だ。白州へ引きだされ、仕置きがいい渡されれば二度と牢へは戻らない。

この一年、瓢六が牢を出たり入ったりするたびに、囚人の顔ぶれは一変した。朝、隣で飯を食っていた仲間が、昼には打ち首になる。遠島、もしくは重追放になる者もいる。変わらないのは雷蔵だけだ。

めまぐるしい出会いと別れはさすがにこたえた。近頃、柄にもなく寂しさにたえかねることがある。

娑婆の人間が恋しかった。仮初めに心を通わせ、あっけなく去ってゆく相手ではなく、好き嫌いにかかわらず、顔をつき合わせなければならない相手。昔はそんなしがらみがうっとうしく思えることもあった。が、今はなつかしい。

「あいつもやきもきしてるにちげえねえ」

情婦の顔を思い浮かべる。すると、お袖の声が聞こえ、

――え? いったいいつになったら帰してくれるのさ。六さんはね、お上のために手柄をたてたんだ。解き放ってくれるって約束はどうなっちまったんだい。

威勢よく啖呵《たんか》をきられ、しつこく責めたてられて右往左往している弥左衛門や源次の顔が浮かび上がる。

へへ、お袖にかかっちゃあ、お上もカタなしだぜ――。

思わず頬をゆるめたときだった。

「兄い。なに、にやついてるんだよォ」

若造がすりよってきた。

数日前にぶち込まれた鶴吉《つるきち》である。

鶴吉は、古本屋の店先から書物を盗んでお縄になった。本来なら番屋で仕置きをいい

渡されるはずが、常習犯だとわかり、大牢へ送られた。召し捕られたとき、棟割長屋のひと間きりの家には、足の踏み場もないほど書物があふれていたという。

瓢箪《ひょうたん》のような顔にちんまりした目鼻、しまりのない口許。落ちつきがなく、貧乏ゆりばかりしているので、一見したところ、小むずかしい書物とは縁がなさそうに見える。実際、字もろくに読めない。そんな男がなぜ書物ばかり盗むのか。

「にやついちゃあいねえが、ちょいとばかり婆婆を思いだしてたんだ。地獄にいいとこがあるとすりゃあ、娑婆のありがたみがわかるってェとこだな」

瓢六は苦笑まじりに答えた。

鶴吉は西瓜《すいか》の種のような目で瓢六の顔を見返した。

「兄いは長崎で目利きをしてたと聞いたが、異国の書物を見たことがあるのか」

ここ数年、蘭学に対する取締りは厳しさを増している。お上が鶴吉を大牢送りにしたのも、ご禁令の書にかかわっているのではないかと疑ったためかもしれない。

「まあな。ちょこっとだが、おいらは阿蘭陀通詞もしてた。そんときはいくらでも見る機会があった」

瓢六の答えに、鶴吉は文字通り舌なめずりをした。

入獄していくらもたたぬうちから親しげな態度ですりよってきたのは、異国の書物に興味があったからか。

「いいなあ。見てみてえなあ」

「異国の言葉が読めなけりゃあ、見たってしかたあるめえ」

「いいんだ。読めなくたって」

瓢六はあらためて鶴吉の顔を見た。

鶴吉は天をあおぎ、小鼻をふくらませている。

「おめえ、なんで読めもしねえ書物をかっさらう？　何か訳があるのか」

鶴吉は心外そうな顔をした。

「訳がなくちゃあいけねえか」

「そうじゃあねえが……」

「だったら聞くがよ、兄いはなんで目利きを止めて博徒になったんだ」

「そういわれりゃあ、なんでってこともねえな」

「ほれ。兄いもおんなしだ」

鶴吉は笑顔になった。目が糸になり、唇のお化けのようになったその顔は、なんともいえず愛嬌がある。

つられて笑ったとき、あたりがにわかに騒がしくなった。

「お、いよいよ大泥棒のご入来だ」

鶴吉は目くばせをした。

数年来、巷を騒がせていた大泥棒・鼠小僧がお縄になったという噂で、このところ牢内は持ちきりだった。囚人たちは興味津々、今か今かと大牢へ送られて来る日を待ちかねている。

足音が止まり、鍵役がくぐり戸の鍵を開ける音が聞こえた。

寝ている者までいっせいに起きだす。囚人たちの背中が邪魔になって、瓢六の位置から牢のくぐり戸は見えない。

鶴吉はすでに人垣にまぎれ込んでいた。

あわてるこたァねえや——。

これからは朝晩、天下の大泥棒の顔が拝めるのだ。

瓢六は雷蔵に視線を向けた。

雷蔵も、下界の騒ぎには関心がないようだった。相も変わらず瞑想にふけっている。

扉の開く音がして、牢内は水を打ったように静まり返った。

「伍助《ごすけ》。入れ」

牢役人の声がする。

鍵の閉まる音がして、足音が遠ざかって行った。

一気に喧騒が戻ってくる。

伍助と呼ばれた新参者は、四人どもに囲まれ、早くも質問攻めにあっていた。四番役の大五郎が野次馬を追い払い、伍助を人垣から引きだす。四番役は新入りの世話係である。雷蔵のもとへ伴い、挨拶をさせた上で、二番役の峯吉が〝鼠小僧〟という偉業に敬意を表して、伍助に奥まった五枚重ねの畳を与えた。

瓢六は伍助を観察した。

伍助は並外れて短軀だった。肩幅が広く、胸板が厚い。手足も太い。鼠小僧といえば身軽な男を思い浮かべるが、伍助の体は重そうで、武家屋敷の屋根から屋根へ飛び移れば屋根をぶち抜いてしまいそうだった。

顔は丸く、眉が濃い。鼻も大きい。金壺眼《かなつぼまなこ》から発する眼光は鋭く、唇はへの字に曲がっている。面がまえは絵に描いたような悪党である。

所作ふるまいも大悪党然としていた。肩で風を切って歩くさまといい、五枚重ねの畳の上にあぐらをかいて傲然とあたりを見まわす姿といい、囚人どもの問いに答える横柄な口ぶりといい、あまりに堂に入っていてかえってうさんくさい。

役者が大悪党を演じたら、こんなふうにふるまうんじゃねえか――。

ふっと思った。

そう思ってよくよく見ると、頬のあたりがひきつっている。

「へ、鼠小僧か。まあ、いいや」

ひとりごちる。

地獄は奇妙きてれつな人間の集まりだ。鶴吉のいうとおり、いちいち詮索をしたり訳を考えたりしたところではじまらない。

伍助への関心は見る間にしぼみ、瓢六はくるりと背を向けた。

二

新春の澄みきった陽射しが、北町奉行所同心・篠崎弥左衛門の散らかり放題の部屋をあますところなく照らしだしている。

六畳ほどのこの部屋が整然と片づいていることはまずなかった。やもめの弟を気づかい、母代わりの姉がときおり婚家からやって来て小者や通いの老婆に家の掃除をさせるのだが、その姉も弥左衛門の部屋までは足を踏み入れない。

「しかしまァ、これだけ調べてもめっからねえってことは、ちえ婆さんの一人相撲だったってェこってすかね」

岡っ引の源次はため息をついた。臼のような体をちぢめ、きゅうくつそうに膝をそろえている。

「瓢六の野郎の勇み足でしょう」

遠慮がちに火鉢に手を伸ばし、両手をあぶってすり合わせた。陽は当たっているが、じっと座っているとそぞろ寒い。

「そうともいえぬ」

弥左衛門は浮かない顔で応じた。その拍子に、あたりをゆるがすくしゃみをする。

源次は思わず飛び退いた。

正月早々、弥左衛門は風邪をひいた。幸先の悪い一年のはじまりである。

不運は、だが、それだけではなかった。病を聞きつけたお袖が、いいというのに、薬だの精のつく食べ物だのを運んで来た。

――旦那に寝込まれちゃあ、六さんが困ります。

弥左衛門はいやな予感がした。はらはらしていると、案の定、姉の政江が見舞いにやって来た。

以前にも一度、二人は玄関先で出会っている。そのときから政江は弟と芸者の仲を勘ぐっていたから、疑いはますます深まった。お袖が帰ったあとの騒ぎは思い出すさえふるえがくる。そのせいで、弥左衛門の熱は一気に上がった。

もっとも、ひとつだけ、風邪をひいたお陰で良いこともあった。政江の勧める四度目の見合いが延期になったことだ。

弥左衛門は恋をしていた。生まれてはじめての恋だ。千にひとつも実る可能性はないとわかっていたが、だからといって見合いをする気にはなれない。

「瓢六の勘がはずれるとは思えん」

鼻をかみながら、弥左衛門はつづけた。

源次は、丸めた鼻紙の山から覗いている帳面に目を向けた。

「そいじゃあやっぱり、このなかに悪事にかかわるもんが隠されているとでも？」

大和屋の売り掛け金を記した帳面である。ちえ婆さんの息子の藤助は、大和屋の番頭だった。帳面は婆さんの煎餅布団のなかに隠してあったものだ。いかにも怪しげだが、今のところ、それらしき記載は見つからない。

婆さんの持ち物を調べたのは先月で、瓢六は娑婆にいた。そもそも帳面を見つけたのも、布団ごとお袖の家に運ばせたのも瓢六である。

「怪しいものがないなら、運べとはいわぬはずだ」

「それにしちゃあ、そのあと知らん顔ってェのは、おかしかありやせんか」

「あいつは見かけによらず義理堅い男だ。手がかりに気づいたとして、そいつが古なじみとかかわりがあるとわかればひと言たりともらすまい」

「するってえと、その古なじみが例の強請《ゆすり》事件にからんでいると……」

「大和屋かお旗本の吉田さまはそやつらに強請られていたのやもしれぬ。南町の小野友次郎さまはもともと両者とつながりがあった。いずれかに頼まれ、口封じのために瓢六を牢内で殺そうとした。強請の首謀者と勘違いしたのだ。そのあと、首謀者が別にいると知って、瓢六を泳がせることにした。ま、そんなところだろう」

弥左衛門は上役の与力・菅野一之助から、強請事件も大和屋の事件も瓢六を使って解決せよと厳命されていた。事件が落着すれば、博打の一件は不問に付し、瓢六を無罪放免にしてやるという。

大和屋の事件というのは、大和屋と旗本の吉田家の間にゆゆしい秘密があり、それにからんで、ちえ婆さんの孫娘が殺されたと目される事件である。これについては、瓢六も大いに意欲を燃やしていた。行方知れずの婆さんのためにも真相を暴きたいとはりきっている。

ただし、数年来、江戸を騒がしている強請事件については、貝のように口を閉ざしていた。両者がからみ合っているので話はややこしい。

もうひとつ、別の攻め口があった。吉田家の放蕩息子・惣太郎の悪事である。こちらはお袖が手がかりを握っていた。惣太郎は弥左衛門の片思いの相手、八重の許嫁《いいなずけ》だ。そのためにも、弥左衛門は一刻も早く悪事を暴きたいと焦っていた。

だがお袖は、瓢六が無罪放免になるまでは協力しないと突っぱねている。上役からは事件の解決が先だといわれ、お袖からは無罪放免が先だといわれる。これでは八方塞がりだ。ひどい風邪をひいたのも、心労のせいかもしれない。

「そいつがわかっていながら、手をこまねいていなくちゃならねえとは……。なんとかならねえもんですかね」

「敵の出方を待つしかあるまい」

弥左衛門は鼻をすすった。火鉢の上の鉄瓶が煮立っていたが、それさえ目に入らない。

「出方を待つといっても、瓢六が娑婆へ戻るなァ来月だ。それまで待っていちゃあ、例の方が手遅れになりゃしやせんかね」

源次は上目づかいに主の顔をうかがった。

例の方とは惣太郎と八重の縁談だ。祝言は二月の半ばと聞いている。

「せめてそれだけでも、と思うが、肝心のお袖があの調子では……」

弥左衛門はため息をついた。

源次もうなずく。

「お袖さんには手を焼きまさァね。あの手の女、あっしは大の苦手でさ。向こう気ばかり強くって、恥じらいってもんがねえ」

ちょうど一年前、瓢六がはじめて娑婆に戻されたときだ。瓢六はお袖の家へ入りびたって、連日連夜、熱いところを見せつけた。そのとき寒さにふるえながら庭で見張りをさせられたのが源次である。そもそものなれそめから、お袖は疫病神だった。

何をいってもやりこめられる弥左衛門も同様である。

「お袖にはおれもさんざんな目に遭った。お陰で姉上からもこっぴどく叱られた。二度とここへは顔を見せてほしくないものだ」

「まったくでさァ。できることなら、どっか遠くへ追っ払っちまいてえや」

「女牢へ入れるか」

「そいつァやめた方がいい。牢役人が迷惑する」

その場にいないのをいいことに、お袖の悪口を並べ立てる。

弱犬の遠吠えだとわかっていたが、そんなたわいのないことで、大の男二人はわずかながら溜飲を下げた。

三

お袖は、背筋をしゃんと伸ばして歩いていた。

ほっそりした体つき。見ようによっては小生意気にも見える切れ長の目。小ぶりの鼻と口。心持ちしゃくれた顎。路考茶縮緬の袷が色白の肌をひきたて、陽光がくずし島田に結い上げた髪を艶めかせている。

道行く人々の目には、お袖は悩みなどかけらもない、春爛漫の女に映ったはずだ。

だが見かけとちがって、お袖の心は千々《ちぢ》に乱れていた。

瓢六を無罪放免にするまではお上には手を貸さないとつっぱっている。それでも一向に埒があかないので、弥左衛門が風邪で寝込んだときは飛んでいって看病もした。ところが、相変わらず瓢六は大牢に留め置かれたままだ。

「まったくもう、大嘘つきだったらありゃしない」

こき使うだけ使って、肝心のことになると知らぬふりを決め込むとは、お上の二枚舌にはあきれかえる。

腹を立てる一方で、追い詰められた相手がいつ瓢六に挑みかかってくるかと思うと気が気ではなかった。

こうなったらいちかばちかだ。賭に出るしかない。

賭? そう。実をいうと、お袖は事件の核心にせまる鍵を握っていた。

帳面にはさんであった、くしゃくしゃの紙っぺらである。強請の犯人が大和屋にあてた脅迫状だ。そこには御広敷御用人を務める吉田惣兵衛と大和屋が結託していかに甘い汁をすっているか、具体的な事例が列記されていた。

お上に差しだせば、吉田家・大和屋ともどもお咎めを受けるはずだ。

だが同時にその紙には、強請の犯人の正体を示唆する手がかりも残っていた。

紙きれが見つかったとき、

――強請の犯人まではわかりゃしないよ。旦那の目は節穴なんだから。

お袖は問題にもしなかった。目利きをしていた瓢六の瑕瑾《かきん》も逃さぬ目、鋭い勘、卓越した推理……その三拍子がそろわなければとうてい看破できない手がかりである。

——旦那にゃあわからねえ。けど、あの生っちろい顔をした上役なら見抜くかもしれねえ。

大牢送りになる前、番屋で与力・萱野の吟味を受けた。そのとき抱いた印象である。色白細面の公家顔をした萱野は、おっとりした風貌にもかかわらず底知れなさを感じさせる男だった。油断ならねえ、と、瓢六はいいはった。

瓢六は紙きれを抜き取り、お袖に預けた。

「仲間に義理立てするのはわかるけど、しょうがないよ。ねえ、六さん。ここまで来ちまったんだ」

歩きながら、お袖はひとり言をいった。黒繻子《くろじゅす》の昼夜帯を撫でまわす。ぐずぐずしていれば、火の粉が降りかかるのは目に見えていた。瓢六との約束には反するが、今こそ切り札を使うときではないか。

町は正月の名残を止めていた。道行く人々の表情は和やかで、足取りものどかだ。

「おや、お袖姐さん。お座敷ですか」

「ちょいと野暮用で。旦那はどちらへ？」

「蔵前の娘んとこへ。孫ができたんで顔を見に行ってやろうと思いまして」

「それはそれは。娘さんによろしくいってくださいな」

「へい。ありがとさんで。それじゃ」

「お気をつけて」

見知った顔に出会うたびににこやかに挨拶を交わす。心は上の空だった。

お袖は湯屋の前まで来て足を止めた。

のれんをくぐる。日暮前のこの時刻、女湯はがらんとしていた。番台で主《あるじ》の杵蔵《きねぞう》がうたた寝をしている。

人の気配に、杵蔵は青むくれた顔を上げた。はれぼったいまぶたを押し上げてお袖を見る。

お袖は袖口からおひねりを出して番台に置いた。

杵蔵は動かぬ目でお袖を見つめたまま、おひねりをふところへおさめた。お袖が手ぶらだと見てもおどろく様子はない。

「平吉つぁんは？」

お袖が訊ねると、杵蔵はしゃがれ声で、

「おい、平公」

と、洗い場に向かって声をかけた。

平吉は褌《ふんどし》に半纏《はんてん》をひっかけただけの恰好で洗い場から出て来た。丸顔に人なつこい笑みを浮かべている。

「こいつぁお袖さん、どうしなすったんで」

平吉が近寄るまで、お袖はじっと待ってはいなかった。あわただしく駆け寄り、早口で耳元にささやく。

平吉の顔がすっと真顔になった。

出て行こうとしたとき、若い娘の二人づれが入って来た。茶屋勤めの娘たちで、お袖とも顔なじみである。会釈をしてすれちがう。

のれん口で振り返ると、平吉はいつものへらへらした顔に戻って、娘たちにお愛想をいっていた。

杵蔵はいねむりをしている。

お袖は湯屋を出た。

これからがいよいよ正念場である。

まっすぐ永代橋へ向かった。以前にも訪ねたことがあるので勝手はわかっていた。奉行所へ行き、弥左衛門を呼びだす。弥左衛門の手から例の紙きれを上役に渡してもらうつもりである。

橋のたもとまで来たとき、名を呼ばれた。振り向くと、やくざ風の若い男がお袖を見つめていた。

「あたしに用かい」

「へい。親分に探して来いといわれましたんで」

お袖は眉をひそめた。

「親分？　源次親分のことかい」

男はうなずく。

岡っ引の源次のもとには下っ引が出入りしていた。なかには後ろ暗い過去のある男もいる。脛《すね》に傷を持つ男たちを手足として動かすのが、岡っ引の手腕でもあった。

お袖は警戒を解いた。

「で、親分があたしになんの用だい」

「入船町の五郎兵衛店に住んでた婆さんの骸《むくろ》が上がりましたんでさ。そのことでお袖さんにも来てもらいてえと……」

お袖は息を呑んだ。

吉田家に奉公に上がっていた孫娘が急死し、大和屋の番頭をしていた息子が首をくくった。それ以来、ちえ婆さんは紅絹《もみ》の蹴出しを盗んで世間を騒がせ、大和屋と吉田家の悪事を訴えようと躍起になっていた。その婆さんがある日突然、裏店から姿を消したのは昨年の暮も押しつまった頃である。

——気の毒だが、生きてはいないかもしれねえな。

瓢六もいっていた。

それでは、やはり婆さんは殺されていたのだ！

「で、親分はどこにいるんだい？」

お袖は急き込《せ》んで訊ねた。

男はふっと目を細めた。

「洲崎弁天の近くに大和屋の別宅がありますんで。その裏手の藪のなかにある隠れ家に」

「わかったよ。案内しとくれ」

男と連れ立って、お袖は歩きだした。

気が急いていたので、源次の下っ引がなぜ永代橋のたもとで自分を見つけたのか、おかしいと思う余裕を失っていた。

四

あれはこの板塀のなかだった——。

はじめて八重を見た日のことを、弥左衛門は思いだしていた。

八重は空家の荒れ庭で蝶を追いかけていた。童女のように無垢な表情に、やもめの三十男はひと目惚れをした。

今からちょうど一年前である。

八重の父親と大喧嘩をしてしまい、縁談はつぶれた。そればかりか、姉の政江までが心証を害して、後藤家を悪しざまにいうようになった。今となっては、夫婦になるなど夢のまた夢である。

弥左衛門は板塀の周囲をぐるりとまわって、隙間か節穴でもないか探してみた。中が覗けそうなところはどこにもなかった。

塀は新しく建て替えられていた。おそらく家も修理され、庭も手入れをされて、今はもうだれかが住んでいるのだろう。この一年、弥左衛門は変わることなく八重を思いつづけてきたが、思い出のよすがはとうに失せていた、というわけだ。

深々と息を吐き、来た道を戻る。

小日向台町のこの界隈には賄い方の家が並んでいた。組頭の後藤家は、組屋敷に入る突端にある。

忠右衛門の仁王のような顔を思い浮かべると足が重くなった。のこのこ出かけて行ったところで門前払いを食うのは目に見えている。

それでも、いうことだけはいわなければ気が済まなかった。このままでは八重は惣太郎と祝言を挙げてしまう。自分の恋が破れるのは、この際、問題ではない。そんなことより八重の身を守ることが先決である。惣太郎には閨《ねや》で女を痛めつけるという性癖があるのだ。

ちえ婆さんの孫娘いねが急死したのもそれが原因だと、弥左衛門は確信している。婆さんが亡骸《なきがら》に対面したとき、いねは紅絹の蹴出しを裏返しにつけていた。仮にも呉服屋の番頭の娘、武家奉公に上がるための躾けを受けた娘である。婆さんはおかしいと勘づいた。裏表もわからぬ者が、それもひどく動転して骸に蹴出しをつけたのだ。その上から着物を着せてしまった。もしそれが事実なら、八重はとんでもない男に嫁ぐことになる。

惣太郎の性癖については、お袖の芸者仲間に詳しい者がいた。お袖なら、女たちに証言をさせることができる。

だがお袖は、瓢六が無罪放免になるまでは動く気はないとはねつけていた。上役の厳命があるので、瓢六を今すぐ放免するのは不可能だ。となると、八重を救えるのは自分しかいなかった。

やるだけはやってみよう――。

何日も悩み抜いた末に出した結論である。

後藤家は静まりかえっていた。門戸に徳利がぶら下がっているだけで、門番はいない。戸を押して中へ入ると、徳利が戸に当たって耳障りな音をたてた。

玄関までの踏み石は、塵ひとつなく掃き清められていた。門の脇に松、その隣に庭へつづく木戸、右手の一劃につつじや馬酔木《あしび》の低木が植えられている。

玄関に足を踏み入れるなり、

「おや、あなたさまは……」

刺のある声が迎えた。

小者ではなく、年増の女中だ。徳利の音で来客を知って出て来たのだろう。

女中には以前も逢ったことがあった。たしかおくめという名だ。最初は板塀を覗いていたところを見つかった。二度目は瓢六にそそのかされて、八重の気をひこうとしたものの計画が狂い、とんだ赤恥をかいた。以来、弥左衛門をうろんな目で見ている。

苦手な女に迎えられて、弥左衛門は思わず身がまえた。

「実はご当主に話があって参ったのだが」

肩に力を込めていうと、おくめもこめかみに青筋をたて、きっと見返した。

「主は外出中にございます」

「いつ頃、戻られるご予定か」

「夜にならねば、お戻りにはなられません」

まだ午前だ。いくらなんでも夜まで待たせてくれとはいえない。

「さすれば出なおして参ろう」

外出しているとあればいたしかたなかった。辞儀をして表に出る。

おくめは伝言はないかと訊ねる気遣いさえみせなかった。

弥左衛門は仏頂面で門へ向かった。松の木のそばまで来たとき、木戸が開いた。

「八重どの……」

弥左衛門は棒立ちになった。

地味な納戸色の小袖に黒繻子の帯をしめ、素足に下駄をつっかけた八重が、半開きの戸の陰から弥左衛門を見つめている。

「あのう……父にご伝言があるようでしたら、わたくしが承りますが……」

八重は消え入りそうな声で申し出た。おくめがそっけなく追い返すのを奥で聞いていて、気になって飛んで来たのだろう。

恋い焦がれた女に突然声をかけられて、弥左衛門は真っ赤になった。すぐには声が出ない。狼狽していると、

「いつぞやは父が失礼なことを申しましたそうで……」

八重は軽く頭を下げた。

「い、いや。それがしこそ……ご無礼をいたした。あれからずっと謝らねばと思っていたのだが、機会がなく」

「父は腹を立てると抑えがきかぬのです」

八重はくすりと笑った。色白の目立たぬ顔がぱっと華やいだ。

そのときである。

「お嬢さま。さようなところで何をしておられるのですか」

おくめが玄関から出て来た。

「ごめんくださいまし」

八重はあわてて戸を閉めようとした。

今、この一瞬を逃せば、二度と八重と話す機会はないだろう。そう思うと、弥左衛門の頭にかっと血が昇った。なんとしてもいわねばならぬことがある。

「お待ちください」

弥左衛門は思わず叫んでいた。近づいて来るおくめにちらりと目をやる。

視線を八重の顔に戻して、

「吉田惣太郎どのとの縁談、お止めください」

早口でささやいた。

なぜ？　というように、八重は首をかしげた。

まわりくどい説明をしている暇はなかった。

「惣太郎はとんでもない男です。あやつのために命を落とした女もいる」

八重はけげんな顔で弥左衛門を見つめている。

おくめはすぐそこまで来ていた。

「それがし、八重どのを嫁にしとうござった。が、だからいうのではない。八重どのが不幸になるを見るはしのびなく……」

一気にいって背を向ける。すんでの差で、おくめに詰問される前に門をくぐった。

徳利がからからと鳴る。

冷や汗を拭い、早足で歩きはじめたところで、またもやぎょっと足を止めた。

「おや、弥左衛門どの。どうしたのです？　風邪はもうよいのですか」

大日坂の向こうからやって来たのは、姉の政江だ。嫡男の与兵太と下僕の七助を従えている。

まずいところで出会ったものだが、逃げだすわけにもいかなかった。

言い訳を考えながら突っ立っていると、こまっしゃくれた甥っ子が駆けて来た。

「叔父上。また捕り物ですか」

以前、八重恋しさに、空家の荒れ庭を覗いていたことがある。与兵太に見つかり、何をしているのかと訊かれたので、苦しまぎれに捕り物だと答えた。つまらぬことを覚えている坊主である。

「いや。病が癒えたゆえ、挨拶に参ったのだ」

「それはまあ、殊勝ですこと」

政江は笑った。いい逃れだと見抜いているらしい。

「話があって参ったのではありませんか」

困惑顔をしていると、探るような目を向けてくる。

「あの女子のことですね」いいかけて、与兵太に目をやった。「家でゆっくりうかがいましょう。きちんと話をせねばと思うておりました。さ、参りましょう」

先に立って歩きだす。

あの女子とは、お袖のことにちがいない。

弥左衛門は吐息をもらした。

「叔父上。捕り物の話を聞かせてください」

まつわりついてくる与兵太に生返事をして、重い足を引きずる。これからお袖のことでたっぷり小言を聞かされるのかと思うと、素手で戦場に駆りだされる雑兵のような気分だった。

沢田家と後藤家は目と鼻の先である。

玄関の式台に腰をかけ、七助に足をすすいでもらいながら、弥左衛門は覚悟を決めた。下手に言い訳をすればますますこんがらかる。おとなしく拝聴するしかない。

ところが幸いなことに、茶の間へ上がろうとしたところへ、安次郎が駆け込んで来た。弥左衛門も顔見知りの、源次の下っ引である。

「お宅へうかがったら、留守居の婆さんがこっちかもしれねえと教えてくれましたんで」

安次郎は息をはずませていた。

「何かあったのか」

弥左衛門は脱いだばかりの草履に足を突っ込んだ。ここまで呼びに来るということは、大事が起こった証拠である。

「お袖さんが行方知れずになりました」

「お袖が？」

「通いの小女《こおんな》と、それから馴染みの茶屋からも届けがありましたそうで」

お袖は深川でも数少ない自前の芸者で、茶屋から直接、座敷をまわしてもらっていた。これまで無断で休んだことのないお袖が座敷をすっぽかしたので、不審に思った茶屋の主人が家を訪ねた。すると家のなかが荒らされ、お袖の姿は消えていた。

「小女の話では、遠出するような話は聞いていないそうです。親分と一緒に近所を当たったところ、昨日の昼過ぎに湯屋から出て来るところを見た者がいました」

「湯屋……」

「へい。ですがその後の足取りはさっぱり」

姉への挨拶もそこそこに、弥左衛門はあわただしく表へ飛びだした。

お袖を攫《さら》ったのは、ちえ婆さんを攫った奴ではないか。おそらく瓢六を狙っていた輩《やから》と同一人物だろう。

危害を加えられる心配があるので、瓢六にはそれとなく見張りをつけていた。だが、まさかお袖が狙われるとは思わなかった。とんだ失敗である。

瓢六が知ったらなんというか。

お袖。無事でいてくれ――。

弥左衛門は悲壮な顔で深川へ急いだ。

五

「……そこでよ、塀から飛び下りたんだ。野郎どもは気づきもしねえ。十両そっくりいただいた上に、ひと晩、たっぷりと楽しませてもらったってェわけだ」

鼠小僧こと伍助が話し終えると、囚人の群れから感嘆の吐息がもれた。

伍助は客分、それも上客用の五枚重ねの畳の上にあぐらをかき、得意げにあたりを見まわしている。その視線が瓢六の上に止まると、当惑したように目を伏せた。

瓢六は囚人の群れから離れて、ひとり板床に座っていた。伍助を見つめている。目利きの目に映っているのは、囚人どもに持て囃される天下の大泥棒ではなく、その下にちぢこまっている本物の伍助だった。

哀れな野郎だ――。

皆からちやほやされ、特別待遇を受けながら、伍助は日に日に焦燥を深めているように見えた。自分をもてあまし、そのくせますます肩を怒らせる。威張って見せれば見せるほど滑稽に見える伍助……。

長崎にいた頃、贋絵を描く老人がいた。老人は本物とそっくり同じ絵を描くことを生業にしていた。あまりに上手なので、ともすれば老人の絵は微妙な陰影や素人目にはわからぬごくごく些細な色づかいで、本物より優れた絵に見えることさえあった。

それだけの腕がありながら、長い歳月、贋絵ばかり描いてきた老人は、自分の絵というものを一枚も描けなかった。まっさらな紙を前にしてうめいている姿を何度も見たことがある。あれは瓢六が長崎を去る一月ほど前だ。老人は贋絵で得た銭に埋もれて命を絶った。食わず飲まずで餓死したという噂だった。

なぜそんなことを思いだしたのか。

瓢六はいたたまれなくなって、見栄っぱりの泥棒から視線をそらせた。

数日後の深夜である。

厠からねぐらへ戻ろうとすると、

「おい。待て」

と、伍助が呼び止めた。

あたりは暗いが、格子の外に小さな行灯が置かれているので、まったくの闇、というわけではない。

伍助は眠れないのか、ぱっちりと目を開けていた。

「おいらに用かい」

伍助のねぐらへ近寄り、小声で問い返す。

「てめえ、なぜそんな目でおれさまを見やがる？」

伍助は瓢六を見上げた。口調は横柄だが、声に真摯《しんし》な響きがある。

「大泥棒を騙《かた》るのも楽じゃねえなと思ってよ」

さらりと答えると、伍助は目をしばたたいた。

「おれさまの話が騙りだってェのか」

「でなけりゃあ、芝居をしているか」

「芝居？」

伍助はぐるりと目玉をまわした。

「何をいいやがる」

「本物てェなァよ、自分から本物たァいわねえもんだ。おめえが本物の鼠小僧なら、隅っこで目立たぬようにしてるだろうよ」

「この野郎。てめえはこのおれさまを……」

伍助は拳を握りしめた。と、次の瞬間、肩を落とした。その顔が醜くゆがむ。

「いいってことよ。おいらはなにもおめえの芝居にけちをつけてるわけじゃあねえんだ。おめえが来たんでみんな大喜びだ。せいぜい鼠小僧を気取るがいいや」

呆然としている伍助に背を向け、瓢六はねぐらへ戻った。

ねぐらといっても、一畳に六人、横にはなれないので座ったまま眠る。夏ならむきだしの床の上でごろ寝もいいが、冬は骨の髄まで凍りつく。押し合いへし合いしていたほうが温かかった。不思議なもので、慣れさえすれば、それでも十分熟睡できる。

昨秋まで、瓢六は客分扱いを受けていた。三枚重ねの畳の上でのうのうと寝ていた。お袖の貢いでくれる銭があったからだ。

だが命を狙われ、四面楚歌になった事件をきっかけに客分を返上した。お上に楯突き、悪徳商人を目の仇にする自分が、銭の力で特別待遇を受ける愚かさに気づいたためである。

囚人どもを起こさぬように、ねぐらへ分け入る。

するとすかさず、

「何を話してたんだ」

鶴吉が話しかけてきた。

「贋絵の話さ」

答えておいて目を閉じる。

絶え間ない鼾《いびき》や歯ぎしりを子守歌に、瓢六は夢のない眠りに落ち込んだ。


明け方である。

瓢六が起きだすより早く、あわただしい足音が聞こえた。

囚人が白州へ引きだされることを〝お呼び〟という。お呼びにしては早すぎた。この時刻に新入りが連れられて来ることも、普通ならありえない。

なにごとだろうと、瓢六は首を伸ばした。

「旦那！」

目をみはった。

牢格子の前に立っているのは、弥左衛門ではないか。無理やり叩き起こされたせいだろう、迷惑顔の鍵役を引き連れている。

弥左衛門は見るからに憔悴《しょうすい》していた。

鍵役の手から鍵をひったくってくぐり戸を開けた。

「瓢六。出ろ」

皆がいっせいに瓢六を見た。

瓢六は外鞘へ出た。

何がなんだかさっぱりわからない。今日はまだ正月の二十六日で、北町奉行所の当番月までまだ五日あった。牢内で殺されかけたとき、当番月でもないのに瓢六を勝手に牢から出して、弥左衛門は上役にこっぴどく叱られたと聞いている。

「いいのかい。二月にならねえのに」

思わず訊ねる。

弥左衛門はうなずいた。

「おれの一存ですることだ。改易《かいえき》になろうが切腹になろうが知ったことか」

答えた声に切迫した響きがあった。

とっさに、瓢六は異変を悟った。

「何があったんだ？」

「お袖が攫われた」

「攫われた？」

問い返した声がふるえている。

そうか。そうだったのか——。

弥左衛門の顔を見た瞬間からわかっていたような気がした。地にのめり込むような衝撃に打ちのめされる。

「だれに？　いつだ？」

激しい力で弥左衛門の肩をゆさぶった。

弥左衛門は瓢六の腕をほどき、代わりに励ますように背中を叩いた。

「話はあとだ。行こう」

白々明けの戸外に飛びだす。

二人は牢屋敷の表門に向かって一目散に駆けた。

六

お袖の家で、瓢六、弥左衛門、源次の三人が顔を突き合わせていた。

たった今、荒らされた家のなかを調べたところだ。手がかりになりそうなものは何もなかった。

「奴らがお袖を攫ったなァ、脅迫状を取り戻すためだ。ちえ婆さんが行方不明になったのもおそらく……」

瓢六は虚空をにらんで、歯ぎしりをした。

「脅迫状？」

「なんだ、それは？」

源次と弥左衛門は顔を見合わせる。その拍子に源次が大きなくしゃみをした。

自分の風邪を移しておきながら、弥左衛門は不興げに顔をしかめる。

「お袖はなぜ、さようなものを持っておったのだ？」

瓢六は肩をすくめた。

「例の帳面に挟んであったのさ」

弥左衛門は眉をつり上げた。

「帳面に？　なぜそれを早くいわんのだ」

「いいたくてもいえねえことがあるんだ、世のなかにはよ」

瓢六はしたり顔でいう。

弥左衛門はむっとしたものの、

「そいつは今、どこにあるんだ、まだお袖が持っているのか」

急き込んで訊ねた。

「ここにはない。てことは、肌身はなさず持ってるにちげえねえ」

「そんなら今頃はやつらの手に奪われたかもしれやせんぜ」

源次が口を挟んだ。

「そいつァどうかな。お袖は頭が切れる。簡単に渡しゃあしねえさ」

お袖があっけなく脅迫状を奪われ、用なしになって塵屑のように捨てられたとは、断じて思いたくなかった。

源次はおもむろに鼻をかんだ。

「めっからねえとしたら、やつら、どう出て来ますかね」

「おいらが隠してると思うにちげえねえ。今度はおいらの番だ」

「するってェと、婆婆にいると知ったら……」

「お袖を囮《おとり》に使って、おびきだそうってェ寸法だろう」

応えておいて、瓢六は眉をよせた。

「先手を打って、乗り込むしかねえな」

「居所はまだわからぬのか」

弥左衛門は源次に訊ねた。

「へい。総出で探させちゃあいるんですが、いっこうに……」

源次は下っ引に、大和屋にかかわりのありそうな場所を探索させていた。旗本家にからむことなので、奉行所はうかつに動くわけにはいかない。そこで吉田家については、弥左衛門が同僚の粕谷平太郎に頼み込んで周辺を探らせていた。

「お袖さんに何かあったら、あっしは悔やんでも悔やみきれねえ」

源次が盛大に鼻をするのを見て、弥左衛門も顔をゆがめる。

「そいつはおれのいう台詞《せりふ》だ。もしものことがあったらおれも……」

二人とも、お袖をさんざんこき下ろしたことなど忘れたような口ぶりである。

「それを聞いたら、お袖が涙を流して喜ぶだろうよ」

軽口をいってはみたものの、瓢六はいてもたってもいられなかった。

なんとか捜し出す手だてはないものか。

今できることはといえば、娑婆にいる仲間を動かしてお袖の居所を探ることだ。

瓢六はそんじょそこらの小悪党ではなかった。多岐にわたる人脈を持っている。

「お上にまかせちゃあおけねえや。ちょいと出て来るぜ」

勢いよく腰を上げたときだ。

「もし。瓢六の旦那はいませんか」

聞き慣れた声が聞こえた。

「平吉!」

瓢六は飛びだした。

玄関に、湯汲みの平吉が、日頃とは別人のような生真面目な顔で立っていた。

ふた言み言、話をすると、平吉は帰ってゆく。

奥の間へ戻って来たとき、瓢六は喜色を浮かべていた。

「お袖の居所がわかった。洲崎弁天の近くの空家に押し込められているそうだ。用心棒は手ごわいのが三人」

「ありがてえ。けど、なぜ湯屋の平吉が?」

源次は首をかしげる。

「湯屋?」弥左衛門も探るような目になった。「湯屋!　ということは湯屋がおぬしの仲間の……」

「おっと。そこまで」瓢六はぴしゃりとさえぎった。「そんなことよりお袖だ」

三人はあわただしく洲崎へ向かった。

「いいのかい、旦那？　これ以上、勝手に動くと、お咎めを食らうぜ」

「うるさい。こんなときにじっと座っていられるか、なあ源次」

「他ならぬお袖さんだ。放っちゃあおかれませんや」

弥左衛門も源次もいつにない意気ごみようである。

「へへ、そうこなけりゃあ」威勢よくいって、瓢六は武者震いをした。「持つべきもんはなんとやらってェわけだ。三人でいっちょ暴れてやろうぜ」

七

平吉に教えられたその家は、洲崎弁天とは目と鼻の先の松林のなかにあった。以前はさる大店の寮で、風雅を好む客が出入りしていたが、三年前の大水で半壊して以来、打ち捨てられているという。

「おいらがおびきだす。その隙になかへ踏み入ってくれ」

「敵は三人だ。わけもない。源次、行くぞ」

弥左衛門と源次は家の左右へまわり込んだ。

二人が木立の陰に隠れたのを見届け、瓢六は悠然と家の入口へ歩み寄った。

「おい。出て来やがれ。てめえらの探しているもんなら、このおいらが持ってるぜ」

瓢六が声を張り上げると、家の中で物音がして、強面《こわもて》の浪人が出て来た。一人、つづいてもう一人。

「大和屋に頼まれたのか。ご苦労なこった。ほれ。くれてやるから人質を返しな」

瓢六はふところから紙きれを取りだし、ひらひらとかざして見せる。

浪人の一人が近づいて来た。

「てめえが瓢六か。よし。そいつをこっちへよこしな」

「その前にお袖を渡してもらいてえ」

「そいつをよこしゃあ返してやる」

「そうはいかねえ。無事な顔を見るまでは渡せねえ」

浪人は舌打ちをした。背後の一人に目くばせをすると、「常次郎、女を見せてやれ」と、家の中に向かって怒鳴った。

再び物音がして、やくざ風の若い男が、縄をかけられ猿ぐつわをはめられたお袖を引きたてて戸口にあらわれた。

瓢六は思わず息を呑んだ。

お袖はぐったりしていた。男に体をあずけ、苦しげに息を吐きながら力のない目で瓢六を見返す。

「さあ、いいだろう。よこしな」

浪人が片手を突きだした。

今だ。瓢六は合図をした。紙きれを渡すふりをして浪人の目に小石を投げつける。間髪を入れず、殴り倒した。

同時に弥左衛門と源次も左右の木立から飛びだして、残る二人を捕えようとした。

策略は成功するかに見えた。が、ひと呼吸、遅かった。お袖を抱えた男が戸口の陰に身を寄せた。いつのまにか短刀の抜き身をお袖の喉元にあてている。

「へ、そんなこったろうと思ったぜ。さあ、渡してもらおうか」

やくざ風の男が三人の顔をねめつけた。

脅迫状はむろん偽物である。渡せばたちどころにばれてしまう。

瓢六に殴られた男はあっけなく一撃で伸びていたが、もう一人の浪人者は戸口の前まで戻り、威嚇《いかく》するように仁王立ちになっていた。

もはや手も足も出ない。絶体絶命である。三人が蒼白になった、そのときだ。

戸口の後ろの暗がりですうっと棒切れのようなものが動いた。と、棒切れがやくざ風の男の頭上を直撃した。男はうめき声をあげて前のめりに倒れた。

その一瞬を逃さず、お袖が体の向きを変えた。裾がひるがえった、と思ったと同時に、浪人は股間を抱えてうずくまった。

瓢六、弥左衛門、源次の三人は我が目を疑った。

「ちょいと。口あけて見ている場合じゃないだろ」

お袖の金きり声に、どっと駆け寄り、男二人を捕まえる。

「お袖」

「六さん」

縛《いまし》めを解いてやると、お袖は瓢六の首っ玉にかじりついた。

「怪我はないか」

「あるもんか。この通り、ぴんぴんしてるよ」

先刻までの息も絶え絶えといった様子は、それでは芝居だったのか。

「脅迫状とやらはどうしたのだ」

咳払いをした上で、弥左衛門はお袖に訊ねた。

お袖は腕をほどき、トンと帯を叩いた。

「縫い込んでおいたのさ。こんなこともあろうかと思ってね」

男たちは悪党三人を縛り上げた。興奮が鎮まったところで、源次がはっと顔を上げた。

「そういやあ、さっきの棒切れは……」

「あ、お婆ちゃん！」

お袖が素っ頓狂な声で叫ぶ。

一同はもつれあうように家の中へ飛び込んだ。

とっつきの土間に、ちえ婆さんがいた。精根尽きはてたのだろう、棒切れを握りしめたまま目をまわしていた。


ちえ婆さんが正気づくのを待って、瓢六とお袖、それに源次と婆さんの四人は、ひと足先に空家をあとにした。

弥左衛門はその場に残って、下っ引が駆けつけるのを待つ。悪党どもを奉行所へ引き立てる手筈になっている。悪党三人は奉行所内の詮議所で、雇い主の名を問いただされることになるはずだ。近くの番屋を素通りして奉行所へ連れて行くのは、三人の口から旗本の名が飛びだしたときの用心である。

武士の吟味は目付の役目で、町奉行所には権限がない。公になると厄介である。

「それにしても、見事な膝蹴りだったぜ」

帰り道で、瓢六はあらためてお袖をほめ上げた。

「六さんたら、からかっちゃいやですよ」

お袖は恥ずかしそうに身をよじった。

「多少の心得はないとね」いいかけてくすくす笑う。「浮気をしたら、六さんだって痛い目に遭いますよ」

「おっかねえなァ」

瓢六は大仰に首をすくめた。言葉とは裏腹にお袖を抱き寄せる。背中越しに源次に声をかけた。

「なあおい。親分、女にはかなわねえな」

返事はない。

「瀕死のふりをして油断させるとは、婆さんも隅におけねえや」

もう一度、声をかけたが、源次は答えない。どうしたのかと振り向くと、恨めしげな視線が返って来た。

源次はちえ婆さんを背負っていた。婆さんは枯れ枝のような腕を源次の首にまきつけ、気持ちよさそうにいねむりをしている。一方の源次は鼻水をたらし、真っ赤な顔をしていた。足元もふらついている。はりきりすぎて、熱がぶり返したのか。

「もうすぐだ。がんばれ」

「家に着いたら卵酒を作ってあげますからね、親分」

口ではいいながら、前を歩く二人は見せつけるように体を寄せ合っていて手を貸す素振りもない。

春とは名ばかりの寒風が吹きすぎ、源次は立てつづけにくしゃみをした。

八

春の嵐が吹き荒れている。

普段はどこといって見るべきところのない坪庭も、砂が舞いたち、貧相な山茶花が根こそぎもげそうにゆらぐさまはなかなかの壮観だった。

とはいえ、端近くに座っている者にとって、吹き込む風は耐えがたい。ばらけそうになる髷を片手で押さえて、

「襖を閉めてもよろしゅうございますか」

弥左衛門は上目づかいに上役を見た。

菅野一之助は無類の庭好きで、弥左衛門の知るかぎり、真冬でも襖を開け放している。

不服げに眉をひそめたものの、火鉢の灰が消えかけているのを見てしぶしぶうなずいた。

襖を閉めきり、ようやく人心地ついて、弥左衛門は本題に入った。

「お旗本、吉田惣兵衛さまの一件いかが相なりましたか」

「うむ。そのことだが……」菅野は火箸で灰をつついた。「お目付さまのお耳に入れた。どうなるかは、我らの関知するところではない」

洲崎の空家で捕らえた三人は、思った通り大和屋に雇われた用心棒だった。大和屋の主は捕らえられ、番屋の牢に押し込められている。

「大和屋だけを仕置きするのでは不公平ではありませんか」

弥左衛門は身を乗りだした。

吉田惣太郎は八重の許嫁だ。吉田家の悪事こそ明らかにしたい。

「ま、公でなくても、なんぞ沙汰があるはずじゃ」

ともあれ事件は落着した、これ以上首を突っ込むなと、菅野はいいたいらしい。

大和屋は呉服屋である。御広敷御用人の吉田惣兵衛に便宜を図ってもらい、その見返りに賄賂を贈っていた。惣兵衛の嫡男の惣太郎も大和屋にせびった銭で遊興にふけり、ひと頃はしょっちゅう揉め事を起こしていた。これについては、吉田家の遠縁に当たる南町の同心・小野友次郎がそのたびにもみ消している。

一方、ちえ婆さんの孫娘のいねは、大和屋の勧めで吉田家へ奉公に上がった。ところがいくらも経たないうちに急死した。これはあくまで推測に過ぎないが、おそらく惣太郎はいねを手込めにしたのではないか。その際、忌まわしい性癖が出て、手かげんを忘れてしまったのだろう。

藤助はだまって引っ込んではいなかった。娘の仇をとることにした。番頭という立場を利用して大和屋の悪事を暴こうとしたために縊死《いし》に見せかけて殺された。

藤助が死んで大和屋は安堵したが、もうひとつ気がかりがあった。例の脅迫状である。ちえ婆さんが持っていた帳面のなかに脅迫状が隠されていたところを見ると、おそらく大和屋が強請られたのは藤助が殺される直前だろう。瓢六が動きだしたので大和屋はあせった。浪人者を雇い、ちえ婆さんを攫い、お袖を攫った。

「ところで例の脅迫状だが……」

菅野は話題を変えた。ふところを探ってくしゃくしゃの紙きれを取りだす。

「一連の強請事件の首謀者がわかった」

弥左衛門は目をみはった。

洲崎で助けだされたあと、お袖はあっさりと脅迫状を差しだしている。

——どのみち、お上に届け出るつもりだったんですよ。

弥左衛門は胸をざわめかせ、紙きれを受け取った。瓢六は脅迫状を隠そうとした。ということは強請事件の首謀者の名が書かれているはずだ。そう思ったので念入りに目を通したのだが、首謀者を示唆する手がかりは見つからなかった。

「ということは、この脅迫状で首謀者がわかったといわれるのですか」

「さよう」

「なれどここにはなにも……。それがし、穴の空くほど眺めましたが、それらしき名は書かれていませんでした」

断固としていいはる弥左衛門を見て、菅野は眸を躍らせた。

「銅銭を持っておるか」

「銅銭？」

「三つ、出せ」

弥左衛門は面食らった。ふところを探り、銅銭を三つ取りだす。上役の膝元に押しやると、菅野は真新しい紙を畳の上に広げ、真ん中に三つ重ねて銅銭をのせた。四方の端を取り上げてくるりとひねる。一旦おひねりにした紙を開き、脅迫状の隣に並べた。

「しわを見よ」

二枚の紙は同じ位置に、そっくり同じしわができている。

「このしわはおひねりの……」

「銅銭三つじゃ」

「あ！」弥左衛門は思わず声を上げた。「こいつは湯屋の……」

正月や節句、暑中の桃湯や冬至の柚湯、菖蒲湯など特別な日の湯屋への祝儀には、銅銭三つを白紙で包んでおひねりにする。番台には三方が置かれていて、おひねりが山と積まれている。

瓢六は大の湯屋好きだった。大牢に風呂がないせいだろうと思っていたが、湯屋の平吉が訪ねて来たときに、それだけではないことに気づいた。

湯屋にはさまざまな人間が出入りする。瓢六は湯屋を娑婆の仲間との連絡場所にしていたのだ。だが、そこがそのまま強請一味の温床になっていたとは思いもよらなかった。

「瓢六は冬木町の湯屋へ足しげく通っていました。そういえば、ちえ婆さんも。たしかあそこには杵蔵という主人と湯汲みの平吉という男が……」

「杵蔵は年齢不詳の無愛想な男で、平吉は愛想のいい丸顔の男だ」

弥左衛門はまたもや目をみはった。

「さすれば、これより早速あやつらを……」

腰を浮かせかけると、「座れ」と菅野は引き止めた。

「落ちつけ。昨日、謎が解けたので、粕谷を湯屋へ走らせた」

「昨日？」

「瓢六にしてやられた。湯屋はもぬけの殻だったそうじゃ」

弥左衛門は呆然と上役の顔を見返した。

それでは、瓢六かお袖がいち早く知らせたのだ。これ以上、脅迫状を隠してはおけない。奉行所へ届け出ることにしたから店をたたむようにと忠告したのではないか。

「なんと。またしても……」

あの小悪党。小生意気であまのじゃくな……元目利き。あやつにはかなわない――。

絶句していると、はじけるような笑い声が聞こえた。菅野が腹を抱えて笑っている。

「いやはや。そろそろ年貢の納め時ということか」

「菅野さま……」

「大和屋の事件は真相がわかった。強請事件の方は、首謀者とおぼしき奴らに逃げられた。一勝一敗というわけだが、勝負がついた以上は瓢六を牢に留め置くわけにもゆくまい」

弥左衛門は身を乗りだした。

「無罪放免にしていただけるのですね」

「奴の知恵を失うはちと惜しいが……。いたしかたあるまい。牢へ戻って待つように伝えよ。数日中には白州にて放免申し渡そう」

上役のその言葉を聞いたとたん、弥左衛門は顔をくしゃくしゃにした。瓢六がその場にいたら、うれしさ余って抱きついていたかもしれない。

手放しの喜びようを見て、菅野は一転、険しい顔になった。

「おぬしがことわりなく大牢より囚人を引きだしたは、これで二度目だ。お奉行さまより叱責を受けた。篠崎弥左衛門。三度目はただでは済まぬと心せよ」

九

「済まねえが、銭を貸してくれねえか」

伍助が思い詰めた顔で切りだしたのは、瓢六が牢へ戻った夜だった。

真正面にしゃがみ込み、金壺眼をみはって瓢六の顔を見つめている。留守にしている間に瓢六の噂を聞き込んだのか、以前の横柄な態度は影をひそめていた。

「貸してやってもいいが、返すあてはあるのか」

あるはずがないのはわかっていた。十両盗めば首が飛ぶ。伍助は天下の大泥棒だ。生きて牢は出られない。あえて訊ねたのは、奇怪なこの男がなんと答えるか、聞いてみたかったからである。

「ない」

伍助は悪びれずに答えた。

「そういうときは〝くれ〟というんだ」

「くれ」

「気に入ったぜ」瓢六は頰をゆるめた。「くれてやろう。いくら欲しい？」

「二両」

瓢六はおどろいた。二両といえば大金である。そんな大金があったところで、牢内では使い道がない。

「なんに使う？　名主の株でも買おうってのか」

「いや……」伍助は口ごもった。瓢六の目をひたと見つめる。「一両で辞世の句を買う。あとの一両で晴れ着を作る」

「晴れ着？」

「市中引廻しの際に着る奴だ」

あっけにとられた。

伍助はやがて打ち首獄門になる。馬に乗せられ、江戸市中を引廻されて、刑場に曳かれてゆく。最期のそのとき、綺羅《きら》を飾り、道々で辞世の句を読み上げようというのだ。

「なんでおめえ、そんなにかっこをつけたがる？」

思わず訊ねると、伍助はあたりを見まわし、瓢六の耳元へ口を寄せた。

「おれは鼠小僧じゃねえ」

瓢六は苦笑した。

「そんなこたァ、端《はな》からわかってたぜ」

「そうかい」

伍助はふうーっと息をついた。

この日の伍助には居丈高なところも突っ張ったところもなかった。臆病なくせに見栄っぱりな、ただの与太者である。

「おめえがだれを騙ろうが、おいらの知ったことじゃねえ。だがよ、なんでわざわざ大泥棒の真似なんかしやがるんだ」

伍助は目を上げ、虚空をにらみつけた。

「ガキの頃から、おれは何をやってもだめな男だった。一度だって褒められたことがない。それどころか、おれがいたことさえ、だれも覚えちゃあいねえんだ」

「……………」

「最期くらいは華々しく見せてェじゃねえか」

瓢六は言葉を失っていた。

「二両、くれ」

「わかった。明日、お袖に知らせをやる。夕方には届くだろう」

伍助はうなずいた。まわりの目を意識して、尊大な態度で立ち上がる。離れて行こうとして、ふっと振り向いた。

「礼はできねえが、おめえ、娑婆に戻るんなら、おれの晴れ姿を見に来てくれ」


三日後、瓢六に〝お呼び〟が来た。

瓢六はそのとき、板床に仰向けになり、背中や尻、ふくらはぎや踵からしみ込んでくる冷気を体内にため込もうとしていた。

忘れるな、これが地獄だ——。

胸の内でつぶやいたとき、鍵役の呼び声が聞こえた。

瓢六は静かに起き上がり、名主のねぐらへ歩み寄った。

雷蔵はいつものようにあぐらをかいていた。が、瞑目はしていない。動かぬ目で瓢六を見下ろしている。

「名主。世話になったな」

いったとたん、胸がつまった。

雷蔵は地獄の住人である。娑婆へ戻れば、金輪際、逢えない男だった。

「おれこそ世話になった」

雷蔵は糸のような目をしばたたいた。

そこへ、二番役の峯吉が飛んで来た。

「おめえのこたァ忘れねえ。達者で暮らせよ」

瓢六の肩を叩く。

それを合図に、囚人たちが次々と集まって来た。手を握る者、腕をつかむ者、ぎゅっと抱きしめる者……みな口々に別れの言葉を述べる。伍助も五枚重ねの畳から下りて来て目くばせをした。

「ぐずぐずするな」

鍵役が怒鳴った。

「へい」

あふれる思いを振りきって、瓢六はくぐり戸へ向かう。

戸の脇に鶴吉が立っていた。

「娑婆へ戻ったら本を差し入れてやらあ」

声をかけると、鶴吉はにやりと笑った。

「それよか一緒に読もうぜ、兄い」

瓢六は「おや」と首をかしげた。

「見張り役も終わったんでよ、おいらもじきに出られる」

そういえば弥左衛門がいっていた、危難が起こらないよう見張りをつけていると……。

それではその役が……鶴吉！

問い返そうとしたが、その暇はなかった。瓢六は鍵役に追い立てられ、くぐり戸をくぐった。

去ってゆこうとして、今一度、地獄を眺め渡す。

今日出会い、明日は別れてゆく顔。ゆがんだ顔、戸惑った顔、傷ついた顔。ひょんなことでうっかり道を踏み外し、地獄へ落ち込んでしまった者たちの顔、顔、顔……。

「あばよ」

瓢六は口のなかでつぶやいた。

「長崎の古物商『綺羅屋』の倅、六兵衛、その方、彼の地にて唐絵目利き、及び、阿蘭陀通詞を務めながら、江戸に出て博徒の群れに身を投じたは不届き至極。本来なれば遠島申しつけるところなれど、その知恵を以て捕り物に助力せしむるは殊勝なり。よって、無罪放免にいたす」

瓢六は白州の上に膝をそろえ、神妙に頭をたれていた。

春の陽射しが降りそそいでいる。

菅野が申し渡し状をおごそかに読み終えるや、端近くにひかえていた弥左衛門が天をあおいだ。大きく息を吸い込み、安堵の吐息をつく。

「申し述べることはないか」

菅野が訊ねた。

「へい。ございません」

瓢六は両手をつき、一礼した。

すると菅野は口調を変え、「瓢六」と親しげに声をかけた。
瓢六は目を上げた。
おっとりしているようで鋭く、とらえどころがないようで確固たるものを秘めている
――その上、諧謔味《かいぎゃくみ》を感じさせるまなざしが、瓢六の双眸にそそがれていた。
「おぬしのその知恵、これからもお上のために役立てる気はないか」
瓢六は目を細め、真偽を吟味する目で菅野を見返した。
「済まねえがお断わりいたしやす。おいら、どうもお上ってェ奴とは相性が悪いんで
……」
弥左衛門は血相を変えた。
「おい」
膝を乗りだして注意をうながそうとした。
瓢六は弥左衛門を一瞥《いちべつ》して、口許をゆるめた。視線を菅野に戻し、「ですが……」と、
つづけた。
「あすこにいる旦那のためだとおっしゃるんなら、このちっぽけな頭、どうにでも役立
てていただきとうございます」

十

同心詰所は表門を入ってすぐの、長屋門の一劃にある。

弥左衛門が表廻りから帰って来ると、待ちかまえていたように用人が呼びに来た。

「客？」

弥左衛門は下ろしかけた腰を上げた。

「女の客人にございます」

たまたま部屋には奥野裕之進がいた。好奇心に満ちた視線を向けてくる。詮索好きな後輩の目から逃れるように、弥左衛門はそそくさと部屋を出た。門をくぐりぬけ、踏み石の敷かれた前庭を突っ切ったところが、奉行所の玄関である。客は玄関脇の座敷で待っているという。

だれだろう？

弥左衛門は首をかしげた。

女といえば姉の政江だが、同心の家に育った姉は自分の立場を弁《わきま》えていた。奉行所を訪ねたりはしない。

ほかに女というと……。

お袖！

弥左衛門は思わず身をこわばらせた。お袖なら、そんな弁えなど端から持ち合わせてはいないだろう。現に何度か押しかけて来たことがある。

だが、いったいどうしたというのか。瓢六が無罪放免になったので、お袖は有頂天だった。お座敷も断わって、いそいそと瓢六の世話を焼いている。奉行所を訪ねるような差し迫った用事はないはずである。

部屋の前で一旦足を止め、弥左衛門はなかの様子をうかがった。

女が二人、こちらに背を向けて座っていた。幸いお袖ではなかった。主らしき若い女と年増女中といった恰好である。

はて。事件にかかわる者か。

「お待たせいたした。それがしに話があるそうだが……」

足を踏み入れたところで息を呑んだ。

八重と女中のおくめではないか。

「突然お訪ねいたすはご無礼かと思いましたが……」

恥じらいをにじませ、それでも八重はまっすぐに弥左衛門の顔を見上げた。

「先日のお礼を申し上げとうて参りました」

「お礼、と申されると……」

弥左衛門はどぎまぎしながら訊き返した。

「お嬢さまの縁談にございます」

おくめが膝を進める。

つい先日、吉田惣兵衛が御広敷御用人のお役を解かれた。相前後して、後藤家との縁談も立ち消えになった。

瓢六が無罪放免になったので、いよいよ縁談のぶちこわしにかからねばと逸《はや》っていた矢先だったから、弥左衛門は胸のなかで快哉《かいさい》を叫んだ。

おくめは軽く頭を下げた。

「あのときのご忠告なくば、お嬢さまは今頃、吉田家に嫁いでおられました」

おくめの話によると、縁談の中止は吉田家からいってきたものではないという。吉田惣兵衛は、お役罷免になることを知っていながら、その前に息子の祝言を挙げてしまおうと画策していた。

「ほんに、もう少しで手遅れになるところでした」

おくめは腹立たしげにつけ加えた。

「お嬢さまはご忠告をいただき、吉田家へ嫁ぐのはおいやだと申されました。旦那さまからさんざんお叱りを受けられたのですが、とどのつまりそれが功を奏し……」

奉行所同心という立場から、弥左衛門がたまたま吉田家の内情を聞き込み、それでわざわざ知らせに来てくれたのだと二人は思っているようだった。

「それがしはその……忠告というほどのことは……」

礼をいわれて、弥左衛門は狼狽した。勢いにまかせて破談にせよとはいったが、忠告というほど立派なものではない。

それにしても、どさくさにまぎれてもらしたひと言が八重の心を動かそうとは思わなかった。訳さえわからぬ埒もない話を八重が聞き入れるとは、そのほうがおどろきである。

放心していると、

「あらためまして御礼申し上げます」

八重がしとやかに両手をついた。

「さ、お嬢さま」

おくめにうながされて腰を上げる。

待ってくれ——。

弥左衛門は胸のなかで叫んだ。

まだ話し足りない。「縁談を止めよ」という言葉が八重の心を動かしたのなら、「嫁にしとうござった」という言葉はどう胸に響いたのか、そのことを訊ねたい。

だが、おくめがいた。義理は果たしたからこれでいっさいかかわりないと思っているのか、おくめは八重を急かして玄関へ向かおうとしている。

おろおろと後を追いかけながら、弥左衛門は己の気弱さを呪った。せっかくこうして八重が訪ねて来てくれたのに、このまま帰すとは不甲斐ない。かといって引き止める口実も見つからない。せめて何かひと言、声をかけようと焦ったそのとき、詰所の入口に立ってこちらを眺めている奥野の姿が目に入った。

「ごめんくださいまし」

主従は今一度、辞儀をした。

「あ、いや……わざわざご苦労にござった」

弥左衛門も辞儀を返した。

ここは奉行所だ。恋とは相いれない場所である。

遠ざかってゆく八重の姿を、弥左衛門は未練がましいため息とともに見送った。

十一

まばゆすぎて泣きたくなるような陽光である。

小伝馬町の牢屋敷の門前に人だかりがしていた。大盛況とはいえないが、ざっと数えて三十人はいる。

「このくらいなら恰好がつかァな」

瓢六はほっとした顔でいった。

「おぬしも物好きだのう」

弥左衛門は苦笑した。

二人は道端で立ち話をしている。

声が聞こえたのか、人だかりの最後列にいた臼のような男が振り向いた。

源次だ。源次は何かいいたそうに二人を見たものの、肩をすくめただけで前方に視線を戻した。よく見れば、源次の隣もその隣も、顔見知りの下っ引である。

この日は似非《えせ》鼠小僧の伍助が刑場へ曳かれる日だった。

約束通り瓢六は駆けつけた。数日前からそのことを知らせる高札が出ていたが、牢屋敷の門前も引廻しの一行が通るはずの道筋も人影はまばらだった。これが本物の鼠小僧なら、辻を埋めつくす人だかりになっていたはずだ。

伍助の野郎、がっくりするだろうな――。

綺羅を飾り、辞世の句まで用意して、一世一代の大芝居を打とうという伍助である。瓢六はあちこち駆けまわり、源次にも頼み込んで、野次馬をかき集めた。

「けど妙な話だぜ」

瓢六はふところ手をして、小さく足を踏みならした。

「伍助は大金を盗んだわけでも、人を殺したわけでもないそうじゃあねえか」

「はじめはひょんなことで盗人を騙った。まわりから盗人、大泥棒とおだてられているうちに、その気になったらしい。口ほどのことはしておらぬようだが、けちな盗みは数えきれない。世間を騒がせた罪もある」

「つまりは見せしめか」

「おぬしは不服だろうが……」

ここ数年、鼠小僧は巷を騒がせていた。お上は躍起になって捕らえようとしているが、いっこうに捕まらない。それをいいことに鼠小僧を騙って悪事を働く輩や、手口を真似る泥棒は増える一方だった。

「いや。それこそ望むところだろうよ」

伍助なら、取るに足らぬ善人として生き延びるより、大悪党として華々しく死ぬほうを選ぶのではないか。

「とはいうものの……」瓢六は吐息をもらした。「悪党が善人を騙るなァ珍しくもねえが、善人が悪党を騙るたァ前代未聞だ。なんでそんなことまでして見栄をはりてえのか。

おいらはどうにもやりきれねえ」

その言葉の端々に聞き流すことのできない響きを感じ取って、弥左衛門は瓢六の横顔を盗み見た。かつては犬猿の仲であり、今やなくてはならない相棒となった男の顔に、悲哀の色が浮き上がっていた。

瓢六はなぜ目利きを止め、小悪党になったのか。その訳は今もってわからなかった。が、ひとつだけいえることがある。人や物の真偽を見分けようとしているうちに、瓢六はどうにもやりきれなくなったのではないか。

「おっと、出て来やがった」

喧騒が一瞬、途絶えた。

門が開き、馬上の伍助が引きだされた。奴頭《やつこあたま》をきれいになでつけ、金糸銀糸で縫い取りした目も彩《あや》な小袖を着ている。華美な小袖は、張りぼての並んだ芝居小屋を連想させた。そのなかに短軀を埋め、頑丈な猪首を覗かせている伍助は、どう見てもちゃちな三文役者だ。

だが見かけは滑稽でも、ふるまいは堂々たるものだった。頰を紅潮させ、金壺眼であたりを見渡す。

伍助が門前で馬を止め、高らかに辞世の句を読み上げると、人垣のなかからまばらな拍手と歓声が聞こえた。

牢役人や下働きの男たちに囲まれ、伍助は粛々《しゆくしゆく》と北へ向かう。刑場は小塚原《こつかつぱら》だ。斬首された首は、三日間、晒されることになっている。

「よォ、天下の大泥棒」

伍助の馬が眼前を通るとき、瓢六は威勢よく声をかけた。

瓢六の姿をみとめると、伍助は邪気のない笑みを浮かべた。

一行は辻を曲がる。すると待っていたように、

「それっ」

と、源次が叫んだ。

人垣がくずれ、十余人の男たちがいっせいに走りだす。一団は、伍助の一行が曲がった道とちょうど並行に走る道を遠ざかって行った。

「同じ顔ぶれだと気づかねばよいが……」

弥左衛門は首を横に振った。

「野次馬の顔なんか、いちいち見ちゃあいねえさ」

瓢六は嘆息まじりにつぶやいた。

伍助は自分自身に酔っている。人だかりの後方に、息を切らし、汗を噴きだした一団がひしめいていることなど気づくはずがない。

「さてと、帰るか」

弥左衛門はうながした。

瓢六はうなずいた。が、弥左衛門が歩きだしても、まだ道端にたたずんで、伍助が消えた辻を眺めている。

「瓢六……」

「ああ」

振り向いた瓢六の顔を見て、弥左衛門は胸を衝かれた。双眸に涙の雫が光っている。話しかけようとしたが、なんといっていいかわからなかった。当惑顔で突っ立っていると、瓢六はいつもの顔に戻って顎をしゃくった。

「おっと、おいらはこっちだ」

「どこへ行くのだ」

「十軒店町へちょいとよ。お袖と待ち合わせしてるのさ」

「十軒店町？」

「これだから男やもめは無粋だといわれるんだ」にやりと笑う。「雛人形を買うのさ」

そういえば、いつのまにか二月も終わろうとしていた。

「一組あるにはあるが、今年は古風な木目込みのが欲しいんだとさ。雛祭にはそいつを飾って、旦那や親分を招くんだとお袖の奴、はりきってたぜ」

「雛祭……」

長い歳月、弥左衛門は雛祭も端午の節句も七夕も……そうした節々の祝いごととは無縁に生きてきた。そんなことは別にどうとも思わなかったが――。

「そういえば、源次も孫娘に人形を買ってやるといっていた」

「旦那も早いとこ、お八重さまを嫁にもらうんだな」

「そう簡単にゆくものか」

弥左衛門が赤くなったのを見て、瓢六はくつくつ笑う。

「まかせときなって。今度こそ、おいらがひと肌脱いでやる」

「ハシリドコロはごめんだぞ」

強壮剤のハシリドコロを呑んで、弥左衛門は大失敗をした。その日のことを思いだして、二人は同時に吹きだした。

「じゃあな」

「お袖によろしく伝えてくれ」

瓢六と弥左衛門は西と南へ別れた。

門前の人だかりはすでに跡形もない。

堀と練り塀に囲まれた牢屋敷は、腹に地獄を呑み込んだまま、今日もまた安穏と午睡を貪っていた。

解説

鴨下信一

「あくじゃれ瓢六」のような〈ただものじゃない粋《いき》な悪党〉が探偵役をつとめるシリーズ作品は、海外ミステリーの古典にたくさんの例がある。聖者《セイント》サイモン・テンプラー、怪盗ラッフルズ、アルセーヌ・ルパン等々……。

獄舎にいる悪党を期限つきで外に出《しゃば》し事件を解決させる、というのは映画「48時間」がそうだった。主役のエディ・マーフィーが女にもてて手が早く、口八丁手八丁でしじゅう小生意気な口を叩くのも瓢六に似ている。

悪党＝探偵の設定は非常に旧くからあって、ウージェヌ・ヴィドックの『回想録』(一八二八)に出てくる。探偵小説はここから始まった、といわれる作品だ。ヴィドック自身が若いころ十年間は犯罪者生活を送り、その後密偵をへて、なんとパリ警視庁犯罪捜査部の部長となった奇怪な経歴で、密偵時代わざと犯罪人として徒刑場で服役し、そこで他の犯罪人から情報を聞き出して事件を解決したそうだから、このへんも瓢六ものとよく似ていると思いませんか。

こんなことを解説に書くのは、時代小説(歴史小説とはちがうものです)という日本固有のジャンルが、海外のエンタテインメント系小説、特に怪奇・冒険を含む広義のミステリーの影響を受けて誕生し、いつでもそこから栄養をとりつつ発展していったことを知っていてほしいし、時代ものは〈純粋な日本人を描いている〉〈失われた日本がそこにある〉といった定説を単純に信じて欲しくないからだ。

それはたしかに〈とても日本らしい〉ものだが、いわば〈海外の、日本から離れた眼〉を持っていた作家群によって発見されたものだ。日本人らしからぬ視線を持っていたからこそ、日本の、日本人の、結晶を見つけ出すことが出来たのではないか。

本当に日本の時代小説の書き手は、外国好きで海外小説・映画の教養が高い。山本周五郎は「草競馬」や「オールド・ブラック・ジョー」の作曲家フォスターの伝記を飜案して『虚空遍歴』を書き、外国ミステリーの〈奇妙な味〉をねらって『その木戸を通って』を書いた。五味康祐（この人は西欧クラシック音楽の大知識人だった）は結末を書かないリドル・ストーリーを日本で実験しようと『柳生連也斎』を書いた。池波正太郎は専門家はだしの外国映画通《つう》で、この人の本篇第一章が始まる前にひと件《くだ》り話を置く形式は、映画のアバン・タイトルからの発明だろう。

『あくじゃれ』は時代小説のなかの〈捕物帳〉に分類されるはずのものだが、この部類で本邦初の『半七捕物帳』はまさしくシャーロック・ホームズものの移植で、作者の岡本綺堂は新歌舞伎の脚本作者。旧い日本の風物に対する博識にもかかわらず、父は英国公使館の書記、叔父は通訳、本人はまず英文学者といっていい素養だったことが興味深い。

実は本書の作者諸田玲子さんも上智大の英文科の出身で、作家になる前は外国資本の会社に勤務し、通訳・飜訳の職歴を持つ。『銭形平次捕物控』の野村胡堂が一方であらえびすの名を持つ西欧音楽評論家であり、『顎十郎捕物帳』の久生十蘭がフランス語堪能の演劇人でもあったことを考えると、彼女が時代小説を書き、捕物帳を書くのは不思議でも何でもない。

この本の主人公瓢六は若干、日本人離れしたキャラクターで一般の時代小説とは違っているように感じられるが、それは眠狂四郎や鞍馬天狗がバタ臭い性格を与えられているのと同じで、時代小説の成立を考えると、これも正統なのだ。

和洋の混在が時代小説の特色で『銭形平次捕物控』の第一回は恋女房になるお静を黒ミサの魔手から救け出す話だ。瓢六が実は長崎の唐絵目利き、通詞見習いという設定は、その意味でとても面白い。もっともこれは諸田さんの経歴《ヒストリー》の反映かもしれないのだが。となれば、あくじゃれ瓢六の性格描写は、そのまま彼女自身なのかも知れない。

（作家・演出家）

単行本　二〇〇一年十一月　文藝春秋刊
（「あくじゃれ瓢六」を改題）

文春文庫

あくじゃれ　瓢六捕物帖《ひょうろくとりものちょう》

定価はカバーに
表示してあります

2004年11月10日　第1刷

著　者　諸《もろ》田《た》玲《れい》子《こ》

発行者　庄野音比古

発行所　株式会社　文藝春秋

東京都千代田区紀尾井町 3-23　〒102-8008
TEL 03・3265・1211
文藝春秋ホームページ　http://www.bunshun.co.jp
文春ウェブ文庫　http://www.bunshunplaza.com

落丁、乱丁本は、お手数ですが小社営業部宛お送り下さい。送料小社負担でお取替致します。

印刷・凸版印刷　製本・加藤製本

Printed in Japan
ISBN4-16-767702-4

文春文庫

時代小説

（　）内は解説者。品切の節はご容赦下さい。

さらば深川 髪結い伊三次捕物余話
宇江佐真理

伊三次と縒りを戻したお文に執着する伊勢屋忠兵衛。袖にされた意趣返しが事件を招き、お文の家は炎上した——。断ち切れぬしがらみ、名のりあえない母娘の切なさ……急展開の第三弾。

う-11-3

余寒の雪
宇江佐真理

女剣士として身を立てることを夢見る知佐は、江戸で何かを見つけることができるのか。武士から町人まで人情を細やかに描く七篇。中山義秀文学賞受賞の傑作時代小説集。（中村彰彦）

う-11-4

椿山
乙川優三郎

城下の子弟が集う私塾で知った身分の不条理、恋と友情の軋み。下級武士の子・才次郎は、ある決意を固める。生きることの切なさを清冽に描く表題作など、珠玉の四篇を収録。（縄田一男）

お-27-1

恋忘れ草
北原亞以子

女浄瑠璃、手習いの師匠、料理屋の女将など江戸の町を彩るキャリアウーマンたちの心模様を描く直木賞受賞作。「恋風」「男の八分」「後姿」「恋知らず」「萌えいずる時」他一篇。（藤田昌司）

き-16-1

昨日の恋 爽太捕物帖
北原亞以子

鰻屋「十三川」の若旦那爽太には、同心朝田主馬から十手を預かるという別の顔があった。表題作のほか「おろくの恋」「雲間の出来事」「残り火」「終りのない階段」など全七篇。（細谷正充）

き-16-2

埋もれ火
北原亞以子

去っていった男、残された女。維新後も龍馬の妻として生きたお龍。三味線を抱いて高杉晋作の墓守を続けるうの。幕末の世を駆け抜けて行った志士を愛した女たちの胸に燻る恋心の行く末。

き-16-4

（　）内は解説者。品切の節はご容赦下さい。

黒岩重吾
剣は湖都に燃ゆ
壬申の乱秘話

古代史最大の戦乱、壬申の乱に巻き込まれながらも、おのれの信じる道に従い、必死に生き、愛し、死んでいった男と女を、古代史小説の第一人者がいきいきと描く連作短篇集。（倉本四郎）

く-1-29

黒岩重吾
影刀
壬申の乱ロマン

大海人皇子に一命を救われた百済人・鋭飛は敵対する近江朝の間者を殺戮、勇名をはせるが……。歴史に翻弄されつつも信じる道を歩む武人、女人、無告の民。慟哭のドラマ。（郷原宏）

く-1-32

黒岩重吾
斑鳩《いかるが》宮《のみや》始末記

調首《つぎのおびと》子《ね》麻呂《まろ》は百済《くだら》からの渡来系調氏《つぎし》の子孫。廏戸《うまやど》皇太子（聖徳太子）の命を受け、秦造河勝《はたのみやつこかわかつ》らと奈良の都の犯罪捜査にのり出す。古代ロマン・エンターテインメントの決定版！（重里徹也）

く-1-35

久世光彦
逃げ水半次無用帖

幻の母よ、何処？　過去を引きずり、色気と憂いに満ちた絵馬師・逃げ水半次が、岡っ引きの娘のお小夜と挑む難事件はどれも哀しく、美しい。江戸情緒あふれる傑作捕物帖！（皆川博子）

く-17-3

五味康祐
真田残党奔る

大坂夏の陣で敗れた豊臣の家臣たちは地にもぐり、徳川の世は安泰かと見えたが、突如現れたのが真田家の遺臣十勇士。猿飛佐助、くノ一霧隠才蔵らは何を企むのか。（真鍋呉夫）

こ-9-4

五味康祐
陽気な殿様

姫路十五万石の城主榊原忠次の御曹司隼之介が、民情視察を兼ねて国元へ赴くことになった。大工八五郎と韋駄天の三次らを供につれ、各地で遭遇する剣難女難をいかに乗切るか。

こ-9-5